CROIRE

CROIRE

Dr Joe Vitale

Traduit de l'anglais par
Annie Olliver

Éditeur : François Doucet
Traduction : Annie Olliver
Révision linguistique : L. Lespinay
Correction d'épreuves : Nancy Coulombe, Carine Paradis
Conception de la couverture : Matthieu Fortin
Photo de la couverture : © Thinkstock
Mise en pages : Sébastien Michaud
ISBN papier 978-2-89733-378-2
ISBN PDF numérique 978-2-89733-379-9
ISBN ePub 978-2-89733-380-5
Première impression : 2013
Dépôt légal : 2013
Bibliothèque et Archives nationales du Québec
Bibliothèque Nationale du Canada

Éditions AdA Inc.
1385, boul. Lionel-Boulet
Varennes, Québec, Canada, J3X 1P7
Téléphone : 450-929-0296
Télécopieur : 450-929-0220
www.ada-inc.com
info@ada-inc.com

Diffusion

Canada :	Éditions AdA Inc.
France :	D.G. Diffusion Z.I. des Bogues 31750 Escalquens — France Téléphone : 05.61.00.09.99
Suisse :	Transat — 23.42.77.40
Belgique :	D.G. Diffusion — 05.61.00.09.99

Imprimé au Canada

Participation de la SODEC. SODEC
Nous reconnaissons l'aide financière du gouvernement du Canada par l'entremise du Fonds du livre du Canada (FLC) pour nos activités d'édition.
Gouvernement du Québec — Programme de crédit d'impôt pour l'édition de livres — Gestion SODEC.

Catalogage avant publication de Bibliothèque et Archives nationales du Québec et Bibliothèque et Archives Canada

Vitale, Joe, 1953-

[Faith. Français]
Croire : comment allez-vous composer avec le stress, les peurs et les incertitudes qui augmentent sans cesse dans votre vie?
Traduction de : Faith.
ISBN 978-2-89733-378-2
1. Morale pratique. 2. Foi - Miscellanées. 3. Confiance. 4. Confiance en soi. 5. Relations humaines. I. Titre. II. Titre : Faith. Français.

BF637.C5V5714 2013 158 C2013-942185-8

TABLE DES MATIÈRES

Dédicace

À mes parents bien aimés

Remerciements

Personne n'écrit un livre sans aide. Suzanne Burns, la vice-présidente des opérations, s'est assurée que ce livre serait parfait. Anna Watson a apporté son aide pour la rédaction et la révision. Sanjay Burman a publié ce livre, en plus de m'avoir donné l'idée de l'écrire. De nombreuses autres personnes ont participé au processus, en particulier Nerissa, ma compagne qui a pris soin de nos animaux domestiques afin que je puisse me concentrer sur la création de cet ouvrage. Et puis, il y a toute une liste d'enseignants qui ont exercé une influence sur moi : Catherine Ponder, Joseph Murphy, Edwene Gaines, Eric Butterworth, Charles Fillmore, Elizabeth Towne, William Walker Atkinson, Robert Collier, Neville Goddard, Vernon Howard, Stuart Wilde, Terri Cole Whittaker et Bob Proctor. Si j'ai oublié quelqu'un d'important dans le cadre de la réalisation de cet ouvrage, pardonnez-moi. Je vous suis reconnaissant à tous, y compris à vous, cher lecteur. Sans vous, ce livre ne serait pas nécessaire. Alors, appréciez-le, vivez longtemps et prospérez. Rappelez-vous d'avoir la foi.

Introduction
La foi et le petit Taco

Il y a quelques semaines, j'ai fait la connaissance d'un tout petit chien, un chiweenie, un croisement de chihuahua et de teckel, une petite chienne qui n'avait qu'un mois. Si vous suivez mes activités sur ma page facebook (http://facebook.com/drjoevitale), vous avez dû voir sa photo.

Nous avons déjà un chien, une vieille dame nommée Wolfie qui est percluse de douleurs et qui, pour les calmer, a besoin d'une piqûre tous les vendredis. Nous possédons également un chat du troisième âge, Nona, qui est passé à *Animal Planet TV* et qui aime être l'unique félin de la maisonnée. Après tout, n'est-il pas une vedette ?

Et pourtant, cette petite chienne sur la photo m'attirait énormément. Il s'avère qu'elle avait un frère.

Je me suis donc renseigné au sujet de ce frère et j'ai appris qu'il lui fallait un foyer. Sa mère était une chienne errante qui avait été sauvée et avait ensuite eu une portée de chiots, proposés à l'adoption. La sœur avait été adoptée, mais le frère, pas encore. Malgré notre situation domestique, ce chiot me plaisait beaucoup. Le propriétaire m'a envoyé des photos de lui, que j'ai emmenées avec moi quand nous sommes partis en voyage au Canada. Tous les jours, je regardais sa photo, l'élargissant sur mon écran pour mieux le regarder dans les yeux. Quelque chose me disait que je devais le rencontrer.

À notre retour du Canada, nous avons appelé la propriétaire et avons pris des dispositions pour aller voir le petit bout de chou. En le voyant, cela a été le coup de foudre. Nous l'avons donc ramené à la maison et l'avons présenté à toute la famille. Nous l'avons appelé Taco. Nous l'adorions.

Mais ce n'était pas le cas de tout le monde.

Notre vedette féline de télévision s'est ruée à l'étage à toute vitesse et y est restée. Elle ne voulait absolument pas redescendre.

Notre vieille chienne n'aimait pas que ce petit diable de Tasmanie lui aboie sèchement au nez ni qu'il veuille jouer avec elle.

Après trois jours difficiles, nous avons compris que nous ferions une erreur de le garder. Même notre vétérinaire nous avait avertis de ne pas avoir de chiot, que cela dérangerait notre arrière-grand-mère de chienne et que notre chat en subirait aussi les conséquences. C'était un signe avant-coureur.

Les larmes aux yeux, nous avons fait quelques appels. L'amie qui m'avait fait connaître la petite chienne m'a appris que son amie de Dallas était en visite chez elle et qu'elle était intéressée par le petit chien. En moins de 30 minutes, elles sont arrivées chez nous, ont fait la connaissance de Taco et ont eu le coup de foudre pour lui. Taco habite maintenant à Dallas dans un foyer qui l'adore et où il est heureux. Son nouveau nom est Bugsy.

Mais pour commencer, pour quelle raison avions-nous adopté Taco?

Pourquoi est-il arrivé dans notre vie?

Et pour quelle raison avons-nous dû le donner?

Toutes ces questions m'ont tracassé pendant une journée ou deux. J'observe toujours les signes que la vie m'envoie pour m'indiquer la voie à suivre. Et, en général, je suis cette voie et tout va bien. Je sentais que c'était dans l'ordre des choses que j'entende parler de Taco, que je fasse sa connaissance, que je l'adopte et que je l'aime.

Mais cela m'a fait mal de devoir le donner.

Pour quelle raison tout cela est-il arrivé?

J'ai finalement compris que notre maison n'était qu'une étape d'un itinéraire invisible qui devait conduire Taco à Dallas.

Si nous ne l'avions pas adopté, nous n'aurions peut-être jamais eu l'occasion de lui trouver un foyer à Dallas. D'une certaine façon, nous avons joué le rôle de transitaires. Notre travail a consisté à le garder pendant une fin de semaine pour ensuite le donner à la femme venant de Dallas, au cours de cette même fin de semaine.

Super! C'est ça suivre le courant! C'est juste que nous ne le savions pas.

Un courant divin m'a incité à poser un geste, tout comme il a incité la femme de Dallas à poser un geste aussi. Et tout s'est arrangé pour le mieux pour Taco. Tout s'est avéré être pour le mieux. Parfait, même.

Mais pendant la fin de semaine où nous avons eu Taco à la maison, nous ne le savions pas. Un scénario était à l'œuvre, écrit par une main invisible, où nous avons tous joué un rôle. Nous ne pouvions tout simplement pas voir quel en serait le dénouement. Nous avons été pris par le moment présent et avons pensé que ce moment serait permanent.

La leçon à tirer de cette situation, du moins en ce qui me concerne, c'est qu'il faut faire confiance au courant et au processus de la vie.

Il faut avoir la foi.

La foi est si importante que je lui ai entièrement consacré ce livre.

La foi conduit au bonheur. Elle est le bonheur, même si vous pensez ou désirez autrement.

La foi, c'est le secret.

Vous n'avez qu'à demander à Taco.

— Joe Vitale
Austin (Texas)
www.MrFire.com

1

LA FOI

Pour être réaliste, vous devez croire aux miracles.
— Henry Christopher Bailey

Si l'on en croit les Mayas, ce livre sera publié quand il n'y aura plus personne pour le lire. Le monde tel que nous le connaissons aura disparu juste avant sa sortie en 2013. C'est dire à quel point la rédaction de cet ouvrage s'est avérée être un acte de foi. Pour écrire, il a fallu que je croie qu'il y aurait un lendemain, un lendemain où la foi pourrait encore faire une différence.

Il est possible que je prenne les prophéties de fin du monde à la légère, mais ce que je dis est tout à fait réel. De nos jours, notre planète foisonne de prophéties de fin du monde, de défaitisme et d'un cynisme d'une ampleur sans précédent à tous les niveaux. Mais ce monde regorge également d'un potentiel inexploité, et la foi est l'outil et le démarreur qui nous permettra d'y accéder.

LA FOI

Ce mot comporte de nombreuses connotations. On retrouve cependant dans chacune d'elles la notion de capacité à croire en quelque chose, en une force ou en des forces qui entrent en jeu au-delà de notre contrôle personnel, un « quelque chose » auquel nous avons accès pour produire un résultat positif, productif et progressif. Fondamentalement, c'est la raison pour laquelle nous ouvrons les yeux tous les matins et entamons notre journée, prêts à affronter les défis de la vie quotidienne. La foi est une sorte de source qui permet à tout de devenir possible.

La foi n'est pas seulement importante, elle est essentielle…

Même si le terme « foi » peut prendre des connotations et sens précis en fonction des religions, il n'est pas nécessaire de la considérer du point de vue d'une croyance culturelle ou religieuse particulière. Il s'agit d'une notion qui transcende les frontières géographiques ou philosophiques, il s'agit d'une notion qui fait essentiellement partie de l'existence humaine. Je porte une bague vieille de 2500 ans. Elle est en or massif et a été fabriquée dans la Rome antique. Un mot latin est gravé sur elle, *Fidem*, ce qui veut dire «foi». Je porte cette bague depuis sept ans et je me laisse inspirer par cette ancienne inscription et par le fait que de très nombreuses personnes s'en sont inspirées avant moi. Vous remarquerez que je parsème ce livre de citations, comme si je parsemais d'épices un plat de poisson. Je me sers de ces citations pour illustrer la notion de foi et pour vous offrir les pensées de nombreux autres écrivains et penseurs la concernant. Ces citations proviennent de différentes époques et nations.

Toutes les cultures du monde ont en fait créé des systèmes de croyance fondés sur la foi. En tant qu'êtres humains, nous en avons besoin collectivement et individuellement pour avancer dans la vie. Il est évident que le monde et ses forces ne sont pas sous notre contrôle, pas plus qu'elles ne le seront jamais totalement. La foi est par conséquent l'élément qui nous permet de jeter un pont entre les éléments inconnus et un futur que nous ne pouvons pas prédire. Plus simplement dit, la foi est ce qui nous permet de continuer à avancer dans le quotidien et ses aléas. C'est ce qui nous permet de passer d'un jour à l'autre et qui nous donne la force de faire des projets d'avenir.

Avant que les humains n'aient pu comprendre la nature ainsi que les mouvements de la lune, des planètes et des étoiles, c'était la foi qui leur permettait d'aller se coucher le soir en sachant que le soleil se lèverait le lendemain matin, que les saisons suivraient leur cours, que la terre et la pluie nourriraient leurs cultures et que la vie se poursuivrait à l'identique. De nos jours, nous pouvons certes sourire en pensant aux sociétés d'autrefois qui, dans leur ignorance naïve, offraient des sacrifices aux dieux pour obtenir de belles récoltes ou une bonne saison de pluies. Mais pensez-y un peu, n'avons-nous pas troqué la foi en des dieux bienveillants de la pluie et du soleil pour la foi en la science? Nous pouvons certes nous référer aux recherches et aux garanties fournies par la méthodologie scientifique, méthodologie qui nous semble beaucoup plus fiable et compréhensible que tout ce que nous estimons être une « croyance aveugle » en la magie des médecins sorciers ou des rites des anciens villageois. Pourtant, notre dépendance vis-à-vis de la science est également fondée sur la foi, la foi en les institutions et les processus qui soutiennent ces principes scientifiques. C'est la foi qui fait que les systèmes que nous avons créés fonctionnent comme nous le voulons et qu'ils assurent la fiabilité des résultats.

Ce n'est pas seulement dans notre vie personnelle et dans le quotidien que la foi est importante. En fait, la société humaine est elle-même fondée sur la foi. L'espèce humaine a pu prospérer parce que les humains ont la capacité de travailler ensemble. Cette formidable collaboration est tributaire de la foi. Chacun fait sa part dans le monde en croyant que tous les autres feront également la leur. De cette façon, les éléments essentiels au bon fonctionnement et à la prospérité d'une société sont réunis. Ceci inclut le fait d'avoir confiance que la société et ses structures œuvrent dans le sens du bien pour tous.

Ce dernier point — faire collectivement confiance en la société et en ses institutions — est justement l'élément qui représente un grand défi à notre époque. Des politiciens aux chefs de file dans le monde des affaires, en passant par le monde moderne industrialisé et numérisé, la dernière décennie, en particulier, a vu les piliers de notre société contemporaine s'effondrer de façon spectaculaire d'une position de confiance et de respect à une position de méfiance et même de mépris cynique. La bourse s'est effondrée en 2008 et, quelques années plus tard, les mêmes systèmes financiers et les mêmes banques semblent engranger l'argent alors que de plus en plus de gens perdent leur emploi. Nous entendons parler de politiciens qui dépensent l'argent des contribuables en s'engageant dans des affaires scandaleuses et en concluant en douce des marchés corrompus. Si les gens au sommet de la pyramide ont renoncé à leurs responsabilités, alors pourquoi pas moi, penserez-vous? Si plus personne ne croit en rien, alors quel sens cela a-t-il pour moi de continuer à avoir la foi? La foi en quoi?

Notre confiance envers les autres pays du monde a été ébranlée par des actes de terrorisme et de violence. Le monde semble beaucoup plus effrayant qu'avant. Au lieu d'avoir confiance en la bonne volonté des autres nations, nous avons maintenant l'impression de devoir nous défendre contre elles. Le climat général en est un de méfiance et de tension.

Peu importe que nos peurs soient justifiées ou pas, peu importe que les mesures correspondantes de défense prises soient sensées ou pas, la contrepartie à tout cela, c'est que nous avons un besoin absolu de foi dans ces moments difficiles. Tout comme nous avons l'impression de collectivement perdre la foi en le monde et en tout ce qu'il représente, nous en avons plus que jamais besoin si nous espérons trouver des solutions à nos vieux problèmes ou encore trouver de nouvelles avenues. La foi est ce qui nous tirera de la crise et nous lancera dans la créativité. Nous avons besoin de croire en des lendemains meilleurs si nous voulons espérer avoir la chance de les connaître. Mais avant que des changements positifs ne se produisent, nous devons rassembler toute la foi possible pour pouvoir procéder à ces changements.

Et que se passera-t-il si nous ne le faisons pas ou si nous ne pouvons pas le faire? Pensons un peu à cette possibilité. Que se passerait-il si nous perdions tout simplement la foi?

L'alternative, c'est le malheur...

Le doute est une douleur trop solitaire pour comprendre que la foi est sa sœur jumelle.

— Khalil Gibran

La citation précédente s'avère particulièrement pertinente. En l'absence de foi, le doute s'installe. Et le doute émane de la peur. La peur nous incite à nous couper du monde et c'est sauve-qui-peut. Chacun essaie de survivre dans un monde lugubre qui n'offre ni secours ni aide. Ce monde se réduit à la solitude et à la souffrance, qui conduisent automatiquement à d'autres lendemains chargés des mêmes fardeaux et de la même morne perspective. Mais la foi et le doute sont les deux côtés d'une seule et même médaille. D'un côté ou de l'autre de la médaille, le choix vous revient toujours.

Tout lendemain comporte deux abords : celui de l'anxiété ou celui de la foi.

— Henry Ward Beecher

La foi est importante dans quasiment tous les aspects de la vie. Elle fait toute la différence entre une vie heureuse, comblée et réussie, et une vie où on est englué dans la routine, une vie où on essaie simplement de survivre. Elle fait toute la différence entre être en paix avec soi et être dans un constant état d'anxiété et de tension.

Si vous n'avez pas foi en vous, vous serez incapable de voir votre potentiel. Vous ne pourrez jamais explorer les possibilités qui se présenteront à vous. Vos projets pour le futur seront limités et vous ne pourrez envisager des rêves qui dépassent ce que vous connaissez déjà.

Si vous n'avez pas foi en autrui, vous n'aurez jamais confiance dans les rapports que vous entretenez avec les gens. La peur et la méfiance vous habiteront. Le doute empoisonnera toutes vos relations intimes. En fait, vous éprouverez de la difficulté à maintenir quelque relation que ce soit, qu'il s'agisse d'avoir confiance que votre ami vous rejoindra à l'heure pour aller à un spectacle ou que votre partenaire sera fidèle et agira dans le meilleur intérêt du couple en tout temps. Toutes vos relations personnelles importantes sont fondées sur la foi, sur la confiance.

Si vous n'éprouvez pas de confiance envers votre collectivité et envers le monde, vous éviterez toute interaction. Vous éprouverez de la difficulté à poser les nombreux gestes essentiels à votre fonctionnement et même à votre survie, qu'il s'agisse de trouver du travail ou de demander de l'aide lorsque vous en avez besoin. Le doute et la peur — les contraires de la confiance — sont les éléments qui amènent les pays à se déclarer la guerre et à globalement entretenir des tensions.

Si vous ne croyez pas en une Puissance supérieure, vous vous retrouverez totalement seul et à la merci de forces que vous ne pourrez jamais comprendre ni contrôler. Le monde deviendra alors un endroit où il est si terrifiant de vivre que chaque geste posé devient égoïste, devient un geste de pure survie, rien de plus.

La foi est importante dans tous ces domaines : la foi en vous, la foi en autrui, la foi en le monde et la foi en quelque chose qui se situe au-delà de notre monde et de notre réalité humaine. Autrement dit, si vous n'avez pas la foi, vous serez malheureux. Il n'y a pas d'autre voie que la foi. Si les sociétés n'ont aucune foi en elles-mêmes ni les unes envers les autres, de perpétuels conflits surgissent où les gens se préoccupent uniquement de leurs propres intérêts immédiats, au détriment du bien commun ou universel. Ce manque de foi se traduit par un monde froid et sans cœur, de moins en moins porté sur la charité, la coopération ou la beauté sous toutes ses formes. Ce manque de foi donne un monde de potentiel négatif plutôt qu'un monde de possibilités illimitées.

Voilà ce qui ressort du manque de foi, qui est loin d'être un ingrédient passif dans la recette qu'est la vie. Au contraire, elle est l'élément magique qui transforme les graines en fleurs, et nos rêves et pensées en réalités.

La foi nous dit ce que les sens ne nous disent pas, mais pas le contraire de ce qu'ils voient. Elle se place au-dessus d'eux sans s'opposer à eux.

— Blaise Pascal

La foi n'est pas plus aveugle qu'apathique. Au Moyen Âge, d'innombrables alchimistes croyaient fermement que leurs expériences transformeraient un jour le vil métal en or. Mais cette foi s'est avérée déplacée parce que, malgré tous leurs efforts, jamais le laiton ni le cuivre ne se sont transformés en or. Ils sont restés laiton et cuivre. Il s'avère donc que leurs prémisses de départ étaient fausses. Tous les efforts ou toute la foi du monde ne pouvaient changer les propriétés physiques des métaux.

Par conséquent, la foi doit être ancrée dans la réalité. Même si elle jette des ponts entre le moment présent et le futur, personne ne peut changer les principes de base ni les réalités fondamentales de la vie. Le fait de passer du concept à la réalité peut certes vous aider, mais cela ne vous permettra pas de réécrire les lois de la physique, par exemple. La foi est une magie très pragmatique. Et c'est là où les choses deviennent passionnantes. La foi est une sorte de magie qui fleurit réellement et qui porte ses fruits. C'est une sorte de magie qui donne des résultats concrets.

Si nous revenons à la pensée sur laquelle j'ai commencé ce chapitre, l'existence de ce livre a été une histoire de foi. La maison d'édition m'a proposé une idée très vague, une idée à peine esquissée. En acceptant le travail, j'ai dû faire preuve de foi que quelque chose de bien en ressortirait, que je pourrais mener à bien. J'ai dû avoir confiance que je pourrais trouver des idées fantastiques et utiles, que je pourrais rassembler des pensées qui deviendraient un livre pouvant inspirer les gens et les aider à atteindre les résultats espérés et bien plus. Chaque livre, en fait chaque travail créatif ou geste créatif, est un acte de foi. C'est cela la magie pragmatique de la foi.

La foi, c'est l'oiseau qui sent la lumière alors que l'aube est encore plongée dans l'obscurité.

— Rabindranath Tagore

La foi, c'est monter la première marche alors que vous ne voyez pas tout l'escalier.

— Martin Luther King Jr

La foi peut créer quelque chose à partir de rien…

Tel est le genre de magie réelle, vraie et quotidienne que la foi peut générer dans votre vie. Peu importe votre situation ou vos conditions de vie, vous n'avez pas à être limité par l'ici et maintenant. La foi vous ouvrira les yeux afin que vous voyiez les possibilités très réelles et très concrètes qui vous attendent partout autour de vous, des possibilités que vous ne chercheriez autrement pas.

Martin Luther King a grandi dans un monde de ségrégation raciale évidente. Son peuple appartenait à un segment de la société qui était opprimé et l'avait toujours été. Que ce soit pour prendre le bus ou aller au cinéma, la moindre facette de la vie publique était scindée en deux réalités. La sienne était désavantagée. Rien ne lui permettait de croire que les choses pouvaient être différentes. En fait, bien des forces à l'œuvre essayaient de maintenir la situation telle qu'elle était. Pourtant, d'une façon ou d'une autre, Martin Luther King a su imaginer un monde où les gens de toutes les races pourraient coexister dans la paix et l'égalité. D'une façon ou d'une autre, il savait dans son cœur que ce monde deviendrait une réalité. Imaginez l'incroyable foi dont il a dû faire preuve pour gravir cette première marche, d'autant plus que tout cela a commencé avec sa croisade pacifique pour les droits humains! Les gens ont dû penser qu'il était fou ne serait-ce que d'essayer, et nombreux ont été ceux à vouloir l'en empêcher. Pourtant, même pas son tragique assassinat n'a pu arrêter ce rêve, une fois ce dernier lancé et présent dans l'imagination du public. Et aujourd'hui, nous avons un président américain noir, ce qui était totalement impensable à l'époque de Martin Luther King. Tel est le très réel pouvoir de la foi.

À une échelle beaucoup plus réduite et domestique, je pense à une amie qui me racontait récemment l'histoire de l'achat de sa maison. Elle avait trouvé par hasard une propriété délabrée qui se vendait à un prix ridiculement bas, un prix correspondant cependant très bien à la réalité. Il s'agissait d'une vieille maison de pierres. C'est ce qui l'avait interpellée. Mais cette maison n'avait pas été entretenue ni rénovée depuis des décennies. Elle avait été la propriété d'une vieille dame veuve qui s'était recluse chez elle et avait laissé le jardin livré à son sort, devenu depuis une jungle de buissons désespérément sauvages. Sans parler des éléments de base comme la plomberie et le système électrique. La décoration intérieure était un pot-pourri de tout ce qui avait pu être laid dans les années 1970, du papier peint en simili velours aux carreaux en miroir de mauvais goût. Pourtant, mon amie a été capable d'imaginer le potentiel de cette maison à l'abandon et de ce jardin sauvage, même lorsque les entrepreneurs qu'elle avait engagés lui ont dit qu'elle était folle de vouloir rénover cet endroit et qu'il valait mieux qu'elle fasse raser la maison pour repartir à zéro. Mais elle s'est accrochée à sa vision et vous savez quoi ? Au moment où les rénovations ont été terminées, même les ouvriers cyniques face à ce projet l'ont complimentée pour la magnifique maison qu'elle avait tirée d'une négligence abjecte et sauvée des bulldozers. Le plus beau, c'est que même après avoir dépensé pour toutes ces rénovations, elle a payé un prix bien inférieur à celui des autres maisons du quartier. Que votre projet s'attache à vouloir changer le monde ou simplement à améliorer votre vie quotidienne, la foi joue un rôle clé quand il s'agit d'atteindre les meilleurs résultats possibles.

Alors, comment faire la différence entre une foi aveugle, une foi mal placée et une foi qui s'avérera la véritable voie conduisant à un meilleur lendemain ? Autrement dit, comment éviter de devenir un alchimiste voué à l'échec et, à la place, atteindre des objectifs réalisables ? Les chapitres suivants s'attarderont davantage à mettre en œuvre la foi dans le monde réel et à faire la différence entre utopie et rêve réalisable. Mais voici de quoi réfléchir pour commencer : la foi est ce qui vous incite à persévérer même si votre premier plan ne donne rien. L'échec lui-même ne sera plus une fin en soi, mais seulement un tremplin parce que vous aurez la vision et le courage qui vous inciteront à persévérer. Vous aurez l'endurance vous permettant de rajuster votre tir et de revoir vos modes de pensées et vos méthodes jusqu'à ce que vous trouviez la solution qui fonctionne. La voie de Martin Luther King a certainement été parsemée d'obstacles et de contretemps, et l'amie qui avait acheté cette vieille maison vétuste a connu pendant les rénovations des moments cauchemardesques à faire dresser les cheveux sur la tête. La foi ne rendra pas automatiquement tout facile, mais c'est elle qui vous amènera au bout du tunnel. Et c'est ce qui compte par-dessus tout.

La foi est une intuition passionnante.

— William Wordsworth

La foi est une connaissance du cœur, une connaissance qui n'a pas besoin de preuve.

— Khalil Gibran

La foi vous conduit au-delà de vous-même, elle vous fait croire en quelque chose de plus grand que vous…

La foi et la véritable intuition sont étroitement liées. Par « véritable intuition », je ne veux pas dire le genre d'intuition qui vous dit d'acheter un billet de loterie parce que c'est votre jour de chance. Ça, c'est prendre ses désirs pour des réalités, c'est une pensée fondée sur un désir égoïste et irréaliste. La véritable intuition est animée par un élan de vérité facilement reconnaissable. La foi vous permet de reconnaître le genre de graines ne ressemblant en rien à celles que vous connaissez déjà et qui n'opèrent pas comme elles. C'est là où l'intuition se rapproche de la foi.

Ce genre de foi vous fera voir et entendre ce que vous pouvez actuellement voir et entendre. Elle vous mettra en contact avec une force qui vous dépasse, que vous apparteniez à une confession particulière ou pas.

Quand votre foi se renforce, vous constatez que n'avez plus besoin d'avoir le sentiment de contrôle, parce que les choses coulent d'elles-mêmes et que vous coulez avec elles, à votre grand plaisir et grand avantage. — Emmanuel Teney

Une des choses véritablement merveilleuses au sujet de la foi, c'est qu'elle se bonifie d'elle-même, que l'effet de cumul la fait pousser comme un champignon. Au début, quand vous entamez une démarche quelconque, la foi peut être un peu fragile et, dans une certaine mesure, encore un peu engourdie par une peur qui semble tout à fait naturelle et justifiée, vu les circonstances. Pour revenir à mon amie et à son aventure avec la maison, elle m'a raconté qu'au début des rénovations, après le travail, elle se précipitait tous les soirs sur le chantier pour superviser les travaux. Horrifiée par les travaux initiaux — la maison n'était plus qu'une coquille dépourvue de murs et de planchers, sans cloisons, où tout n'était que poussière et saleté, et n'annonçait rien de vivable —, elle remettait sans cesse les entrepreneurs en question. Elle essayait d'influencer leur moindre décision dans les moindres détails. À un certain point, cependant, elle a compris qu'elle faisait obstacle elle-même à la réussite de son projet. Elle prit conscience qu'elle devait lâcher prise et avoir confiance que les choses aboutiraient à sa vision initiale. Ainsi que je l'ai déjà mentionné plus haut, le résultat final lui a donné raison.

La foi est le tremplin qui conduit à l'action…

Les exemples, les anecdotes et même les citations que j'ai employés jusqu'ici ont tous une chose en commun : ils associent la foi à l'action. La foi sans l'action est une promesse non tenue, une graine non plantée, un rêve non réalisé. Vous pourriez par exemple croire que vous avez tout ce qu'il faut pour devenir un musicien professionnel de talent. Par contre, si vous ne touchez jamais à votre instrument ou ne prenez jamais de leçons de musique, vous ne finirez jamais sur scène sous les applaudissements des spectateurs. Il est possible que vous aimiez les enfants et que vous ayez de la facilité à communiquer avec eux, mais si vous ne passez pas de diplôme vous donnant le droit d'enseigner, vous ne serez jamais devant une classe d'élèves et n'utiliserez jamais les talents qui pourraient inspirer une nouvelle génération.

À mon avis, la foi est un processus de consolidation, une sorte d'amidon mental. — E. M. Forster

Si l'action est nécessaire pour concrétiser la foi, il est inversement vrai que la foi est aussi nécessaire pour passer de la pensée à l'action. Il s'agit d'un beau duo dont les deux éléments se soutiennent l'un l'autre. Comme je l'ai déjà mentionné, le courage et l'endurance sont associés à la foi. Et la foi est en quelque sorte un genre d'aimant qui attire tout ce qui est positif et productif.

La peur et le doute vous feront hésiter, bloquer, ou même encore ne jamais entreprendre une démarche de changement. Lorsque vous vivez constamment dans la peur, celle-ci finira à un moment donné par étouffer tout désir dans l'œuf. La partie de votre esprit qui espère un avenir meilleur s'éteindra comme l'est la bougie par le vent. Vous adopterez une attitude pessimiste face à l'avenir et vos peurs se concrétiseront probablement, tout simplement parce que, comme la foi qui se bonifie par effet cumulatif, la peur et la négativité s'intensifient elles aussi par effet cumulatif.

Avec la foi, vous verrez la lumière au bout du tunnel. Vous trouverez le courage dont vous ne pensiez jamais disposer et vous aurez la force et les ressources pour trouver les réponses et les solutions, même dans des situations où personne d'autre ne semblera pouvoir le faire. Vous saurez faire le premier pas à partir duquel tous les autres suivront.

Derrière toute création, à la façon d'un arc-boutant, il y a la foi. L'enthousiasme n'est rien, car il va et vient. Mais si vous avez la foi, des miracles se produisent. — Henry Miller

J'ai commencé et terminé ce premier chapitre avec des citations qui font intervenir le mot « miracle ». Vous trouverez tout au long de ce livre de nombreuses histoires de gens qui défient les probabilités, qui réalisent leurs rêves et qui concrétisent ce qui semble impossible. Il s'agit du genre de miracles que vous pouvez vraiment manifester avec la foi.

2

LA FOI EN SOI

Un homme de courage est également
un homme de grande foi.
— Cicéron

Je suis fasciné par la biographie de Napoleon Hill, l'auteur du livre fort connu *Pensez et devenez riche*.

Hill venait d'une famille très pauvre qui ne valorisait pas et n'encourageait pas l'éducation, du moins jusqu'à ce que sa mère décède et que son père se remarie. Sa belle-mère, fille d'une directrice de lycée, a été l'élément clé qui a permis à Hill de fréquenter de nouveau l'école de façon régulière. Elle lui a acheté sa première machine à écrire, sur laquelle il a entrepris sa carrière d'écrivain en tapant de petits articles pour des journaux agricoles locaux. C'est ainsi que sa passion pour l'écriture est née et qu'il a transmis un message qui est devenu la pierre angulaire de sa carrière.

Alors qu'il travaillait comme rédacteur et que d'autres activités l'occupaient, il lui a fallu des années de tâtonnements et de nombreux échecs commerciaux avant de trouver ses repères grâce à sa série en huit volumes *Les lois du succès*, un sujet qu'il fouillait très activement depuis des années. Mais à cette époque, juste au moment où il savourait les premiers fruits financiers de sa réussite, la crise boursière de 1929 a éclaté. Celle-ci a plongé le monde dans une profonde dépression qui a réduit l'appétit du public pour les ouvrages de cette nature. Il faudra attendre 1957 pour qu'il écrive *Réfléchissez et devenez riche* (autre titre pour le même ouvrage), un succès immédiat.

Non seulement cet homme s'est battu pendant 20 ans pour rédiger ce guide du succès, mais il a connu la pauvreté, il a été menacé de mort, il a vécu de grands moments de désespoir, sa famille a souffert au-delà de tout entendement et ses bailleurs de fonds ont été assassinés.

Disons-le simplement, il n'a pas réussi du jour au lendemain.

Une chose qui m'a frappé dans la biographie de Hill, c'est son aptitude à transformer le négatif en positif. Il était toujours en quête de ce que certains appellent le bon côté des choses. Certaines personnes semblent être dotées de la capacité naturelle à voir le bien qui se cache derrière le mal. Je crois cependant que c'est une qualité que nous pouvons tous cultiver en nous-mêmes.

La foi vous fera voir les aspects positifs qui se cachent derrière les situations les plus sombres, tout simplement parce que c'est la foi qui vous dit, qui vous assure et vous rassure, qu'il existe une solution plus positive, même si les apparences vous donnent l'impression contraire. Vous serez convaincu qu'il existe une solution et vous persisterez à la chercher jusqu'à ce que vous la trouviez. Tout cela semble simple, et ça l'est. Par contre, il y a un immense fossé entre l'action générée par la foi et celle générée par la peur. Si vous abordez le monde et toute situation dans un état d'anxiété et de peur, vos yeux resteront fermés et vous ne verrez pas ce qui pourrait se trouver juste sous votre nez. Même si Napoleon Hill a vécu à une époque très difficile, il savait qu'il avait quelque chose de grande valeur à offrir au monde, et il n'a rien laissé le détourner de son objectif.

La foi en vous vous permet d'aller de l'avant, même lorsque le monde entier vous a laissé tomber...

Il suffit de me pencher sur ma propre histoire pour constater avec évidence le pouvoir de la foi en soi. Actuellement, un grand nombre de personnes savent que je vivais dans les rues de Dallas vers la fin des années 1970, et que j'ai combattu la pauvreté à Houston pendant des années après cela.

Moi non plus, je n'ai pas réussi du jour au lendemain.

Mais j'ai continué à écrire en ayant simplement la foi qu'un beau jour, je serais publié et que je réussirais à gagner ma vie en tant qu'écrivain. J'ai persisté dans cette direction malgré mes désastreuses conditions de vie du moment. À ce moment-là, on communiquait seulement par courrier postal, car Internet et les messages électroniques n'existaient pas encore. Je tapais minutieusement mes manuscrits, postais mes articles et mes idées de livre. Et j'attendais patiemment — éternellement ! — des réponses. Comme tout auteur le sait bien, alors que ce processus semble prendre une éternité, il est facile d'accumuler une pile de lettres de rejet en un rien de temps.

Pendant un certain temps, j'ai pensé que c'était dû à mon manque de formation. Le vent a commencé à tourner quand je me suis formé davantage pour devenir un meilleur écrivain. J'ai également appris davantage sur le commerce du livre et sur les moyens d'en faire partie. Les lettres de rejet se sont peu à peu transformées en lettres d'acceptation, et j'ai commencé à faire véritablement ma place dans le monde de l'édition. Comme on dit, le reste appartient à l'histoire, et de nos jours, je jouis du style de vie des gens riches et célèbres. Rien de tout cela ne se serait passé si je n'avais pas eu la foi. Par contre, cela n'a pas été facile.

J'ai raconté cette histoire à de nombreuses reprises, celle sur la façon dont je me suis sorti de la pauvreté, mais jusqu'à il y a seulement quelques années, je n'avais jamais expliqué exactement comment je m'étais retrouvé dans une telle précarité. Je voulais avant tout mettre l'accent sur ma réussite et sur la façon dont je m'étais sorti de ce qui me semblait être le fond du baril. Pourtant, après avoir commencé à raconter le dénouement heureux de mon histoire, j'aurais dû prévoir que quelqu'un, à un moment donné, voudrait également en entendre le début. Cela s'est produit de façon inattendue au cours d'un dîner, durant lequel une des personnes de notre groupe m'a regardé et m'a posé la seule question que je ne voulais pas entendre.

— Comment es-tu devenu un sans-abri?

Alors que je répondais à la question et racontais au groupe la façon dont je m'étais retrouvé à la rue, tous les gens avaient les yeux rivés sur moi.

La femme qui m'avait posé la question est restée figée sur sa chaise, bouche-bée et les yeux grand ouverts. Elle m'a demandé la raison pour laquelle je n'avais jamais rien dit à ce sujet.

— Depuis que je te connais, tu n'as jamais raconté cette histoire. C'est fascinant. Ça change tout, a dit mon ami Mark, qui était présent et tout aussi étonné.

Ça change tout?

Fascinant?

— Vu la crise financière actuelle et le nombre de personnes qui perdent leur emploi et leur maison, cette histoire doit absolument être racontée, a ajouté Mark.

J'ai bien entendu ce qu'ils me disaient et j'ai constaté que j'étais d'accord avec eux.

Alors, voici mon histoire...

Dès l'adolescence, j'ai su que je voulais devenir un auteur. Je voulais écrire des livres et des pièces de théâtre pour rendre les gens heureux. Je voyais des gens malheureux partout. Je pensais que je pouvais les aider en utilisant l'humour et en racontant des histoires.

À cette époque, on était au milieu des années 1970, j'étais un fervent amateur de sport, ce qui n'est plus le cas aujourd'hui. Je suivais régulièrement le football professionnel et les Cowboys de Dallas faisaient fureur. Roger Staubach et Tom Landry étaient des héros. Je me suis laissé prendre par la frénésie et j'ai senti que l'endroit où je pouvais me faire un nom était à Dallas, au Texas.

Je vivais en Ohio à l'époque, endroit où j'étais né et avais été élevé. Je travaillais comme cheminot pour une compagnie ferroviaire. Toute la journée, je faisais un travail pénible et j'avais travaillé pendant les fins de semaine et les étés depuis l'âge de cinq ans. Le prestige de la grande ville m'interpellait.

J'ai économisé de l'argent, fait mes bagages et pris un autobus pour Dallas. Il m'a fallu trois jours pour arriver à destination.

Bien entendu, je me suis senti perdu dans cette grande ville. Vu que j'étais né dans une petite ville de l'Ohio, je n'avais pas été préparé à l'effervescence d'une ville de la taille de Dallas. J'ai eu de la difficulté à m'adapter à son rythme.

Peu de temps après, j'en ai eu assez de la grande ville et j'ai voulu partir.

Mais je voulais encore devenir écrivain. Le travail comme manœuvre en Ohio ne m'avait pas laissé assez d'énergie ni assez de ressources pour y prendre un nouveau départ.

À l'époque, de grosses compagnies construisant des oléoducs et des gazoducs en Alaska et au Moyen-Orient proposaient de bons salaires si nous étions disposés à nous rendre dans une de ces deux parties du monde et à travailler sous contrat.

Je n'étais pas très chaud à l'idée de partir à l'étranger ni de travailler à nouveau comme manœuvre, mais j'ai vu là l'occasion d'économiser assez d'argent pour ensuite pouvoir partir en « abbatique » quelque part où je pourrais écrire.

La stratégie me semblait brillante.

J'ai donc répondu à une des annonces passées dans un quotidien, selon laquelle la rémunération horaire serait extraordinairement élevée pour un travail sur un oléoduc. Cela valait la peine de travailler quelques mois à un tel salaire. J'aurais de quoi vivre pendant un an ou plus. Je me suis donc rendu au bureau de la compagnie, où j'ai rencontré un représentant commercial enthousiaste à qui j'ai fini par confier toutes mes économies pour m'assurer d'avoir l'emploi. Il s'agissait de presque 1 000 $ à l'époque, qu'il a pris en me promettant que j'aurais du travail sur un oléoduc à l'étranger dans une semaine ou deux.

Je pense que vous connaissez déjà la suite, même si tous les détails vous échappent.

En l'espace d'une semaine environ, la compagnie qui avait empoché tout mon argent a cessé ses activités. Elle a fermé ses portes, sans adresse de suivi de courrier ni personne pour répondre au téléphone.

Peu après, elle a fait faillite. Et pas très longtemps après, j'ai appris par les journaux que le propriétaire de la compagnie s'était suicidé. Il n'y avait plus personne pour me rendre mon argent.

J'étais seul.

J'étais fauché.

J'étais à Dallas, loin de chez moi.

Je dois avouer que mon ego m'a cependant joué un tour. Ma famille en Ohio aurait accepté que je revienne et m'aurait accueilli sans un «Je te l'avais dit!». Mais j'étais entêté et déterminé à me débrouiller tout seul pour survivre. Eh bien, j'ai effectivement survécu… en dormant sur des bancs d'église, sur les marches des bureaux de poste, dans les gares routières.

Comme vous pouvez l'imaginer, cette période n'a pas été facile et je n'en ai jamais vraiment parlé. Cela m'embarrassait trop. J'ai connu des moments de profonde dépression. C'est une époque de ma vie que je n'aimais pas évoquer, encore moins en parler à autrui. Mais lorsque j'ai raconté mon histoire à table ce soir-là, tout le monde est tombé d'accord sur le fait que je devais la divulguer.

Mes amis m'ont dit que beaucoup de gens se retrouvaient actuellement dans la même situation que moi, qu'ils avaient eu confiance au gouvernement, à une entreprise, à une personne ou à une banque, et qu'ils avaient perdu leur maison et leur emploi. Ces gens avaient cru en un système qui les avait laissé tomber et, maintenant, ils se sentaient perdus et ne savaient pas quoi faire ni vers qui se tourner.

Ayant entendu que j'avais connu les mêmes déboires 30 ans plus tôt et que non seulement j'avais survécu, mais également prospéré à un degré que le Joe Vitale d'il y a 30 ans pouvait à peine imaginer, ils ont estimé que mon histoire pouvait inspirer mes lecteurs.

C'est grâce à la foi que je m'en suis sorti. Et c'est grâce à la foi que vous aussi vous pouvez vous en sortir. Ce moment a été le point tournant qui m'a permis d'entrevoir un avenir différent, car même si les autres m'avaient laissé tomber, je ne m'étais pas laissé tomber, moi. Je croyais encore en moi. Je croyais fermement que je pouvais me tirer de cette mauvaise passe. C'est cette croyance qui m'a fait passer à l'action et poussé à poser le premier geste si crucial. Je suis sorti de la rue et de la pauvreté en travaillant constamment sur moi, en lisant des livres de développement personnel, en passant à l'action, progressant péniblement parfois en acceptant n'importe quel travail, mais restant toujours axé sur ma vision, celle de devenir un jour un auteur qui aiderait les gens à être heureux et à garder leur inspiration.

Si vous vous trouvez actuellement dans une situation incommode ou insécurisante, je vous invite à vous rappeler que cette situation est temporaire.

Telle est la solution au désespoir.

L'expérience que vous vivez actuellement n'est que la réalité du moment. Avec suffisamment de foi, cette réalité peut changer. La foi vous confère une vision à plus long terme. Elle vous permet de visualiser votre vie et de comprendre ce qui est à venir ou ce qui peut arriver.

Pour atteindre ce nouveau lendemain, cet avenir que vous pressentez, vous pouvez faire votre part en posant les gestes que vous pressentez devoir poser dans l'instant présent.

Le soleil brillera de nouveau. Comme toujours.

Votre devoir, maintenant, c'est de vous concentrer sur ce que vous voulez et de maintenir le cap.

Bien sûr, continuez de passer à l'action, maintenez une attitude positive et entourez-vous de gens positifs. Et servez également de soutien aux autres.

Mais n'oubliez pas que si moi ou d'autres pouvons sortir de la rue, de la pauvreté, de la perte d'emploi ou de tout autre déboire, vous le pouvez aussi.

Tenez bon!

Une dernière chose…

Je dois admettre que j'ai parfois voulu jeter l'éponge et en finir avec la vie. Dieu merci, je ne l'ai pas fait. Si je l'avais fait, je serais passé à côté d'une vie remplie de magie, de merveille, de réussite et de célébrité dont je n'aurais jamais osé rêver. Je serais passé à côté de relations et d'expériences précieuses, et bien plus encore.

Je n'ai aucune idée des merveilleuses choses qui paveront votre route, et vous non plus. Mais, ce que vous devez faire, c'est maintenir le cap et suivre l'élan de votre cœur.

La foi est nécessaire à l'homme. Malheur à celui qui ne croit en rien. — Victor Hugo

La foi en soi est la première étape...

La foi en soi est la première étape essentielle, car c'est une attitude de départ qui vous fait dire : *Je ne connais peut-être pas ce que l'avenir me réserve exactement, mais je sais que tout se passera pour le mieux.*

Cela a l'air facile à dire, mais ce n'est pas toujours facile à faire. Ce que vous entendez et voyez vous prouve le contraire. Quand je dormais dans les gares routières, je regardais les gens passer et aller quelque part, je voyais des familles et des couples se tenant par la main, des gens d'affaires et des étudiants menant une vie apparemment intéressante et satisfaisante, alors que je me débattais pour me nourrir et trouver un endroit où dormir chaque nuit. Le monde dans lequel je vivais ne me semblait pas être un monde de possibilités et d'espoir, mais plutôt un monde de combat quotidien pour assurer ma survie. La légende grecque de Sisyphe, raconte l'histoire d'un homme qui est condamné dans les enfers à pousser chaque jour en haut d'une colline un rocher retombant toujours avant d'avoir atteint le sommet, ce qui le condamne à un cycle infini de labeur sans but. C'est l'impression que j'avais de mon environnement immédiat. Tel était le monde dans lequel je vivais.

Mais peu importe où je me trouvais, je pouvais lire. C'est la lecture qui m'a permis de m'ouvrir l'esprit, et j'ai ainsi pu me détacher de mon quotidien pour imaginer autre chose. La lecture m'a procuré les idées qui m'ont inspiré et qui ont alimenté ma créativité. J'ai continué d'écrire et de travailler sur moi jusqu'à ce que ma vision commence à prendre forme concrètement. J'ai réussi à voir au-delà de ma vie d'itinérance et de pauvreté. J'ai su que j'avais tout ce qu'il fallait pour me tirer de cette situation et pour trouver ma place dans ce monde, telle que je la voulais.

La foi est-elle quelque chose de réel? Elle a fonctionné pour vous, Joe, mais puis-je vraiment m'en servir dans ma propre vie?

Au début, vous aurez des doutes, et c'est naturel. Le pouvoir de la foi n'est pas quelque chose que l'on peut quantifier ou voir. L'esprit rationnel et la façon de penser que notre système d'éducation nous a tous habitués à développer exigent des preuves. Toutefois, la seule preuve que l'on peut avoir de la foi réside dans la finalité, dans les résultats. Par contre, le processus conduisant à cette finalité ne fournit guère de preuves ni de résultats tangibles. Ma propre réussite est la preuve irréfutable que vous pouvez connaître la richesse après avoir connu la misère. Il existe de nombreuses autres histoires du genre dont je vous ferai part plus loin dans cet ouvrage. Inspirez-vous-en. Vous pouvez atteindre vos objectifs avec vos propres moyens, pourvu que vous croyiez.

La foi consiste à croire quand la raison ne peut plus croire.
— Voltaire

L'emploi exclusif de la raison et de la pensée rationnelle limite les possibilités. La foi en soi commence par la connaissance de soi. Même si j'ai été un sans-abri, je savais que j'étais un bon communicateur et que j'avais une passion, pas seulement pour l'écriture, mais pour l'aide que je voulais apporter aux gens avec mes récits.

Je savais que mes projets donneraient des résultats positifs et constructifs. Le fait de connaître mes capacités et mes passions m'a motivé et m'a donné la foi. Je savais que si je persévérais, mes talents finiraient par être reconnus.

L'optimisme est la foi qui conduit à la réalisation. On ne peut rien accomplir sans espoir ni confiance.
— Helen Keller

Née en Alabama en 1880, Helen Keller a souffert d'une maladie à l'âge de 19 mois que bien des gens ont pris pour la méningite ou la scarlatine. Peu importe. Cette maladie l'a cependant laissée aveugle et sourde à une époque où les ressources éducatives pour les personnes sourdes et aveugles n'étaient ni bien connues ou comprises.

Heureusement, sa mère avait lu des livres sur les méthodes d'éducation destinées aux personnes sourdes et aveugles. Les parents d'Helen ont communiqué avec des gens qui ont fini par les mettre en contact avec une jeune femme de talent appelée Anne Sullivan, malvoyante elle-même. Elle est entrée dans la vie d'Helen tout d'abord comme gouvernante, et ensuite comme compagne. Cette relation, qui a duré 49 ans, a permis à Helen d'apprendre à communiquer et de s'épanouir pour devenir une auteure et activiste politique d'influence.

Vu les défis qu'elle devait affronter, Helen n'avait pas d'autre choix que d'avoir foi en elle. Elle a appris les mots en se les faisant épeler dans la main et a appris à lire sur les lèvres par le contact des doigts. Elle a aussi appris le braille et a même fini par apprendre à parler. Plus elle apprenait à communiquer avec le monde, plus sa connaissance d'elle-même et sa confiance en elle grandissaient. À partir de là, ses ambitions n'ont plus connu aucune limite.

Elle est devenue la première femme malvoyante et malentendante à obtenir une licence en lettres. Le plus grand cadeau que lui ait fait son professeur, Anne Sullivan, a été de l'ouvrir au monde par le truchement de la communication et de lui faire prendre conscience de son potentiel. Ensuite, Helen a dû avoir confiance en sa propre capacité de réussite dans le monde, malgré ses handicaps.

Savoir révéler aux gens leur propre potentiel, tel est le don d'un grand enseignant. Vu que la foi en soi est fondée sur la connaissance de soi et de ses capacités, c'est souvent l'enseignant, ou tout autre mentor, qui peut susciter cette prise de conscience de soi ou la raviver. Cette connaissance de soi peut aussi advenir quand on lit un excellent livre ou quand on écoute un conférencier motivationnel. Je vous suggère de trouver différentes façons d'en découvrir davantage sur vous et sur votre potentiel. Le temps consacré à la connaissance et à la conscience de soi est toujours du temps bien employé.

La foi qui vient avec la connaissance de soi vous aidera à entamer votre démarche et vous permettra de saisir une occasion et de dire

« Oui, je peux me présenter à ce poste » au lieu de dire « Impossible qu'ils me choisissent ! » Disons qu'un poste va se libérer là où vous travaillez, un poste qui représente pour vous un bel avancement dans la hiérarchie de l'entreprise et pour lequel vous avez l'expérience et les qualifications requises. Donc, vous postulez, passez une entrevue et… n'obtenez pas le poste. En concluez-vous que votre foi était mal placée ? Rejetez-vous la faute sur les règlements administratifs de la compagnie ou sur toute autre chose hors de votre contrôle ? Vous dites-vous : À quoi bon postuler de nouveau quand tout se ligue contre moi ?

Si tel est le cas, dites-vous que c'est seulement la peur qui parle. Par conséquent, lorsque l'échec frappe à la porte et que la réussite vous semble plus loin que jamais, la foi en vous s'avère particulièrement importante. Le fait de vous en tenir à votre vision et à votre aptitude à concrétiser celle-ci est parfois la seule chose qui vous restera pour avancer

C'est facile d'avoir foi en soi et de faire preuve de discipline lorsqu'on est un gagnant, qu'on est le

numéro un. Mais ce qu'il faut, c'est avoir la foi et la discipline quand on n'a pas encore réussi.

— Vince Lombardi

Après avoir œuvré dans le domaine de l'athlétisme à l'Université Fordham où il jouait arrière droit dans une ligne offensive de football qu'on avait surnommée «Les sept blocs de granit», Vince Lombardi a obtenu son diplôme en 1937, au pic de la Crise de 1929. Vu que les ouvertures sur le marché du travail étaient limitées, il a dû occuper divers emplois et a même essayé de retourner à l'université avant de dénicher, en 1939, un poste d'entraîneur adjoint de l'équipe de football américain d'un lycée. Il a également dû donner quelques cours : un travail qui le payait à peine 1 000 $ par année. Mais cet emploi s'est avéré le tremplin vers la plus illustre carrière de tous les sports professionnels.

Même si son record en tant qu'entraîneur est devenu légendaire, Lombardi n'a pas entamé sa carrière avec la NFL (Ligue nationale de football américain) avant 1954, c'est-à-dire 15 ans après ses débuts dans le domaine.

Son style d'entraînement, dur et exigeant pour les joueurs, a produit des résultats qui l'ont amené jusqu'à l'Ordre du Mérite et à voir son nom inscrit sur le trophée du Super Bowl. Il n'a jamais perdu une seule saison dans toute sa carrière à la NFL, carrière qui l'a mené des Giants de New York aux Packers de Green Bay et finalement, aux Redskins de Washington. Sa carrière s'est terminée en 1969. Il avait une telle foi en lui qu'elle déteignait sur les autres et qu'elle incitait tout son entourage et ses joueurs à réussir comme lui. Son histoire a même fait l'objet d'un spectacle à succès à Broadway.

Des résultats constants sont le fruit d'une foi indéfectible…

Remarquez bien la façon dont se termine la citation de Vince Lombardi de la page précédente… *quand on n'a* ***pas encore*** *réussi.* Il n'a pas dit, ce qui aurait semblé plus logique, quand on **n'a pas** réussi, pour la simple raison qu'il n'a jamais laissé cette pensée lui traverser l'esprit. Il n'avait jamais prévu de solution de rechange dans l'éventualité d'un échec parce que le concept de l'échec ne faisait pas partie de sa vision. C'est pourquoi l'échec ne s'est jamais matérialisé dans sa vie. Sa foi indéfectible en ses capacités et sa technique d'entraînement qu'il avait inlassablement peaufinée ont produit un effet Pygmalion, qui a fini par faire l'envie de nombreux autres membres de la NFL. Avoir la foi veut dire poser des gestes qui sont constamment le prolongement de pensées conduisant à un but qui devient inévitable.

Cela ne veut pas dire pour autant qu'il faut oublier la prudence et vous laisser absorber passionnément par tout ce qui vous passe par la tête, en qualifiant cela de «foi». La foi n'est pas un mot magique qui mettra spontanément les choses en place pour vous. Il s'agit d'une croyance et d'une passion authentiques qui vous amèneront à poser des gestes positifs.

La foi sans le labeur, c'est comme un oiseau sans ailes, qui pourra certes sautiller sur le sol avec ses pairs, mais ne pourra jamais prendre son envol vers le ciel. — Francis Beaumont

Je ne peux trop répéter que la foi doit être suivie par l'action. Les gestes que vous posez doivent avoir une constance et doivent travailler ensemble vers la réalisation de vos objectifs. Soyez comme Vince Lombardi et ne laissez aucune place à l'échec dans l'équation. Certes, des contretemps peuvent survenir chemin faisant. Vous ne pouvez vous attendre au succès à tous les coups. Par contre, lorsque vous avez la foi, vous possédez l'endurance qui vous permet de persévérer et de peaufiner vos méthodes jusqu'à ce que vous trouviez la formule gagnante.

Sans la foi, un homme ne peut rien faire. Avec elle, tout est possible. — Sir William Osler

Avoir foi en soi veut dire qu'il y a toujours de l'espoir…

À mes yeux, la foi c'est croire qu'il y a de l'espoir; qu'il y a un dénouement positif possible. La foi me dit que je suis protégé, que la vie prend soin de moi.

Avoir foi en vous, veut aussi dire que vous êtes votre meilleur ami, que vous pouvez compter sur vous et bénéficier de la confiance qu'elle vous confère. Vous vous trouverez parfois dans des situations où la connaissance de soi et vos aptitudes ne joueront aucun rôle, mais où l'espoir et la confiance seront littéralement les seuls éléments qui vous tireront des plus mauvaises passes.

La foi concerne les choses que l'on ne voit pas, et l'espoir, les choses qui ne sont pas à portée de main. — Thomas d'Aquin

Jolene, une de mes lectrices de San Diego, en Californie, m'a fait parvenir une histoire qu'elle a intitulée «Trois médecins et un miracle».

> Il FAUT que je vous raconte le dernier MIRACLE qui s'est produit dans ma vie…
>
> Je suis entraîneuse de football pour enfants d'âge préscolaire et un lundi, alors que j'étais au travail, un petit garçon dénommé Riley a participé à l'entraînement en présence de son père.
>
> Riley a adoré l'entraînement!
>
> Son père s'est approché de moi après l'entraînement pour me parler. Il m'a dit qu'il était chirurgien plasticien et qu'il était

fort préoccupé par une lésion qu'il avait remarquée sur ma lèvre inférieure. Celle-ci mesurait environ huit millimètres et je l'avais pratiquement ignorée, prenant pour acquis qu'il s'agissait d'un bouton de fièvre ou de quelque chose de semblable. Il a ajouté que, selon lui, il s'agissait d'un cancer et m'a suggéré d'y voir immédiatement. Comme vous pouvez l'imaginer, je me suis immédiatement inquiétée et je lui ai expliqué que je n'avais aucune assurance médicale, mais par contre que je ferais de mon mieux pour essayer de prendre la chose en main.

En partant du travail, je me suis rendue à un cabinet médical local qui était fermé. Puis, je suis allée à l'hôpital voisin, où j'ai attendu deux heures dans la salle d'urgences. Le docteur de service m'a dit que ma lésion le préoccupait vraiment, qu'il ne pouvait rien faire pour moi, mais que je devais immédiatement consulter un chirurgien plasticien.

La nuit portant conseil, je me suis réveillée avec l'intuition de chercher un regroupement de plasticiens philanthropes, et j'en ai trouvé un à La Jolla, en Californie. J'ai appelé et j'ai demandé que le médecin me rappelle. C'est son assistante qui m'a rappelée, à qui j'ai expliqué la situation. Tout ce qu'elle a pu dire, c'est énumérer toutes les raisons pour lesquelles le médecin ne pouvait rien faire pour moi ni utiliser quelque procédure que ce soit. J'ai donc clairement senti qu'il ne pourrait pas du tout me voir, donc encore moins m'aider. Je me suis résignée au fait que c'était une autre impasse, la remerciant du temps qu'elle avait pris pour me parler et lui demandant si elle avait quelqu'un à me suggérer pour m'aider, vu que de toute évidence il fallait que ma lésion soit examinée et évaluée.

Puis, soudainement, elle m'a demandé si je pouvais venir jeudi à 13 h 30. J'ai tout de suite accepté.

Le médecin m'a vue à l'heure prévue sans me faire payer. Il a également fait venir un second médecin pour avoir un autre avis. Après discussion, le médecin m'a annoncé qu'il devrait m'enlever un quart de la lèvre inférieure. Puis, il m'a informée que la chirurgie ne me coûterait que 250 $. J'étais sûre qu'elle me coûterait au moins 10 fois plus. J'ai quitté le cabinet médical en me répétant sans cesse « Je crois aux miracles ».

Après avoir raconté à ma patronne qu'il faudrait que je m'absente pour la chirurgie, elle et son mari m'ont envoyé un courriel disant qu'ils défraieraient les coûts de l'opération.

J'étais stupéfaite de la façon dont les choses avaient tourné, et surtout si rapidement, entre le moment où j'avais reçu, par hasard, un diagnostic et celui où j'avais trouvé un médecin compatissant et abordable – les frais étant même payés par mon employeur! J'avais peur, mais j'étais remplie d'espoir et de détermination pour passer à travers cette épreuve.

Bien entendu, il y avait encore un risque, et un traitement radical et intrusif serait peut-être nécessaire. Je savais donc que je n'étais pas encore sortie de l'auberge. Mais comme je crois aux miracles, un miracle s'est produit!

La chirurgie s'est bien déroulée et il est difficile de voir qu'on m'a enlevé un peu plus d'un quart de la lèvre inférieure. Comme de fait, la lésion était bel et bien cancéreuse. En réalité, il s'agissait du même genre de cancer qui avait emporté ma sœur presque un an plus tôt.

Selon le rapport du pathologiste, la tumeur avait été totalement éliminée!

Vous avez bien entendu : TOTALEMENT!

J'éprouve une infinie reconnaissance envers Joe Vitale et ses enseignements. Je ressens également de la gratitude, car l'AMOUR est pour moi ce qu'il y a de plus important, tant dans mes pensées, mes gestes que mes croyances. Je suis encore émerveillée qu'une rencontre fortuite ait permis la guérison d'une maladie grave que j'ignorais avoir. — Jolene

La confiance de Jolene en son avenir l'a immédiatement poussée à agir après le diagnostic fortuit qu'elle avait reçu. Elle a persévéré et le destin lui a donné un coup de pouce en mettant sur sa route des personnes qui pouvaient l'aider. Et il s'est avéré qu'elle s'y est prise juste à temps pour pouvoir efficacement composer avec un problème potentiellement très dangereux.

Même si cela paraît illogique et que les choses semblent aller contre vous, la foi est tout de même le pont qui vous conduira d'un présent insatisfaisant à un avenir meilleur.

Le manque de foi, cela n'existe pas. Nous possédons tous amplement la foi. Le seul problème, c'est que nous mettons notre foi dans les mauvaises choses. Nous avons foi en ce que nous ne pouvons pas faire, plutôt qu'en ce que nous pouvons faire. Nous croyons davantage au manque qu'à l'abondance. Mais il ne peut y avoir de manque de foi, parce que la foi est omniprésente.

— Eric Butterworth

La foi est une croyance que nous choisissons. Certes, elle peut dépasser de loin ce que nous voyons ou entendons, mais elle est également le choix le plus logique. Sinon, quelle est l'alternative? La peur.

La foi, c'est le contraire de la peur, celle-ci étant également une croyance!

Mais derrière tout cela, il y a le choix. Nous avons le choix.

La confiance en soi est la meilleure et la plus sûre approche. — Michel-Ange

Regardons les choses sous l'angle suivant…

Ne vaut-il pas mieux choisir que les choses fonctionnent? Ainsi, vous pourrez garder une ouverture d'esprit face aux possibilités, au potentiel d'une situation, de sorte que vos actes vous permettront d'avancer. Vous ne donnerez plus de coups d'épée dans l'eau et vous ne vous complairez plus dans la misère et l'apitoiement. Jolene avait certainement de bonnes raisons d'avoir peur et d'appréhender l'avenir. Mais sa foi l'a guidée à passer immédiatement et positivement à l'action, et elle a reçu l'aide dont elle avait besoin.

Quand quelque chose nous fait peur, nous battons en retraite. Nous nous réfugions dans le connu et nous nous y cantonnons.

Même si une situation est de toute évidence négative, nous préférons ce qui nous est familier à l'inconnu. Il existe un phénomène assez commun qui fait que les prisonniers ayant été sous les verrous pendant longtemps commettront des délits contrevenant à leur mise en liberté conditionnelle pour être renvoyés dans le système carcéral qu'ils viennent de quitter. Avec toutes ses possibilités et variables, le monde extérieur les effraie trop. C'est pour cette raison que ces anciens prisonniers préfèrent la sécurité d'un endroit qu'ils connaissent et de gens qui leur disent quoi faire. Il s'agit d'un exemple extrême de ce qui se passe quand les gens n'ont pas confiance en eux et en leur capacité à se créer le futur auquel ils aspirent.

Ils finissent par vouloir plus ou moins remettre leur vie entre les mains d'une institution parce qu'ils se sentent plus en sécurité.

Même si cet exemple est extrême, ce comportement se retrouve généralement chez tous les humains. Le fait que ce comportement revienne si souvent en dit beaucoup sur la nature humaine. Lorsque nous avons peur du monde, nous sommes même disposés à renoncer à notre libre arbitre et à laisser les autres prendre les choses en main.

C'est une représentation très imagée de ce à quoi la peur peut conduire : à une vie de captivité sous une forme ou une autre, une vie où quelque chose ou quelqu'un tire les ficelles parce que l'on a trop peur de tirer ses propres ficelles.

Que voyez-vous ?

Les gestes que vous poserez dépendent de ce que vous pouvez voir. Et ce que vous pouvez voir dépend de votre état d'esprit. La foi doit être présente dès le début parce qu'il n'existe rien d'autre.

Si la peur règne, vous ne verrez que les problèmes et tracas.

Si la foi règne, vous ne verrez que les possibilités.

Est-ce la foi qui vous anime? Ou est-ce la peur?

Avec la foi, vous aurez la force de vous lancer et de suivre votre voie, peu importe ce qui arrive. Avec la peur, vous ne verrez que pièges et monstres cachés. Vous voudrez rester au lit sous vos couvertures.

L'action est le témoignage de la foi.

La foi en soi est la première étape pour atteindre vos objectifs parce que, tout comme avec l'amour, vous ne pouvez vous fier aux autres ni à quoi que ce soit si vous ne commencez pas par avoir une solide foi en vous-même.

3

LA FOI EN AUTRUI

Je préfère toujours croire en ce
qu'il y a de mieux chez les gens, car cela évite
beaucoup de problèmes.
— Rudyard Kipling

À un moment donné ou à un autre, et pour une raison ou une autre, vous devez dépendre d'autrui. Ceci veut dire que vous devrez avoir foi en un autre être humain. Cela semble facile à dire, mais ça peut aisément devenir la chose la plus difficile à faire. Quelles que soient les leçons que vous ayez tirées de vos expériences, vous aurez à accorder votre foi et confiance en votre prochain. Cette notion concerne toute une gamme de qualités dans vos relations quotidiennes, que ce soit croire en la bienveillance de votre famille et de vos amis, en l'intégrité de votre employeur, ou faire confiance au serveur de restaurant qui vous sert votre mets.

Plus simplement dit, si vous n'avez pas foi en autrui, vous aurez de la difficulté à faire votre chemin dans le monde et votre vie sera beaucoup plus ardue. Vos options seront limitées et vous serez confiné au connu. Par contre, si vous pouvez avoir foi en autrui, votre vie professionnelle et votre vie personnelle peuvent s'améliorer et s'épanouir beaucoup plus que si vous faites cavalier seul. Nous sommes faits pour fonctionner ensemble. Et fonctionner ensemble, cela veut dire avoir foi les uns envers les autres.

La foi en autrui. C'est là où les choses commencent à faire peur, car cela sous-entend qu'il faut faire un saut dans l'inconnu et compter sur quelqu'un d'autre pour venir à notre rencontre à mi-chemin, comme le trapéziste qui lâche son trapèze et qui a confiance que son partenaire sera là au bon endroit et au bon moment pour l'attraper. Une fraction de seconde trop tôt et la prise est faussée. Une fraction de seconde trop tard et le trapéziste devient le jouet de la gravité et tombe au sol. Cette image décrit bien les rapports que vous entretenez avec autrui, à des degrés variés bien entendu. Il s'agit donc de confiance et d'un grand nombre de questions qui nous donnent du fil à retordre.

Vous estimez peut-être que vous avez de très bonnes raisons de vous méfier des autres, car votre expérience vous dit que vous ne pouvez tout simplement pas faire confiance aux gens. Les membres de votre famille n'ont pas réussi à vous assurer soutien et aide quand vous en aviez le plus besoin. Et vos amis n'étaient pas là quand vous avez perdu votre emploi et que la chance ne vous souriait plus. Un bureau gouvernemental a peut-être perdu vos documents ou votre chemisier préféré est revenu de chez le teinturier avec des boutons en moins.

Le sentiment que l'on ne peut faire confiance à personne ne provient pas uniquement de l'expérience personnelle. En effet, la culture populaire semble vouloir monter en épingle ceux qui trahissent les autres et se poignardent dans le dos les uns les autres. Des émissions de téléréalité aux nouvelles du soir, les projecteurs sont dirigés sur les gens et les comportements qui font non seulement passer l'individu en premier — il n'y a pas de mal à voir à ses propres intérêts! — mais aussi au-delà et aux dépens de tous les autres. Dans un monde où l'homme est un loup pour l'homme, comment est-il possible de croire en autrui?

Vous avez parfois l'impression que vous ne pouvez tout simplement pas compter sur quiconque, peu importe le contexte. Dans les moments où vous avez l'impression que tout le monde vous a laissé tomber, il est très tentant de se braquer et de tout simplement refuser d'avoir confiance en quiconque. Cela semble plus facile. Vous vous dites que si vous ne faites confiance à personne, vous ne serez pas déçu, n'est-ce pas?

Si vous poussez ce raisonnement à l'extrême, vous finirez dans un chalet perdu en montagne, tout seul, à compter sur vos propres ressources pour vous assurer le gîte et le couvert. Ce style de vie peut certes convenir à un type particulier de personne qui se nourrit de défis physiques constants. Mais pour la plupart d'entre nous, ce genre de vie peut se traduire par un sentiment d'isolement et d'insatisfaction. Vu que chaque jour serait consacré à des activités liées à la survie, les choses importantes comme le développement personnel, la créativité et, tout bonnement, le plaisir retomberaient si bas dans la liste des priorités qu'il faudrait simplement les oublier.

Peu importe à quel point vous estimez qu'on vous a laissé tomber, il faudra que vous laissiez les gens entrer dans votre vie. Sans les autres, la vie est tout simplement trop difficile. Et en réalité, le monde foisonne de bonnes personnes qui peuvent agrémenter votre vie et vous aider à atteindre vos objectifs.

Pas besoin d'envisager l'exemple extrême de l'ermite en montagne pour trouver un exemple d'isolement. Je suis certain que nous connaissons tous une personne ou même plusieurs qui vivent essentiellement isolées des autres, avec très peu d'amis ou de contacts sociaux. Ces personnes se cantonnent à un monde qui consiste à aller travailler et à rester chez elles, dans leur refuge rassurant de monde électronique et de jeux. Rien de plus facile à faire! De nos jours, il est facile de vivre en isolement relatif, même dans les villes les plus peuplées, et il existe beaucoup de gens qui se sont plus ou moins coupés du monde.

Cette façon de vivre est le produit de la peur, une peur issue du manque de confiance en autrui. Sans cette confiance, on se coupe du reste de l'humanité. Quand on a peur de se faire blesser, on cesse de vouloir entrer en contact avec autrui.

Que veut dire tout cela?

L'incapacité à avoir confiance en autrui a des répercussions sur tous les aspects de notre vie, professionnelle ou personnelle, et sur les moindres échanges quotidiens qui remplissent notre vie. Cette incapacité rend le présent difficile et limite le futur.

Cependant, c'est une chose de dire «vous devez avoir foi en autrui», et une tout autre de la mettre en pratique. Pour commencer, il faut faire un premier pas essentiel, celui de simplement vous dire d'avoir confiance en autrui. Mais il faudra beaucoup plus que cela pour ressentir effectivement la confiance et la foi qui vous permettront de vous épanouir et de prospérer dans le monde.

Par où commencer ?

Seule la personne qui a foi en elle peut avoir foi en autrui. — Erich Fromm

En premier lieu, vous devez avoir foi en vous. Cette foi initiale en vous et en vos capacités vous assure l'assise qui vous permettra de répandre la foi autour de vous. Il en va de même avec l'amour. Les gens disent que l'on ne peut pas aimer autrui si l'on ne s'aime pas soi-même. Sans une bonne confiance en vous et en votre cheminement, vous ne pourrez pas transmettre ce sentiment à quiconque.

Les gens peuvent certes vous laisser tomber, mais…

Vous ne pouvez pas changer les gens, mais vous pouvez changer la façon dont vous réagissez. En tirant une leçon d'une expérience négative, vous pouvez en faire quelque chose de positif. Ou bien, vous pouvez laisser le désespoir et la peur prendre le dessus jusqu'à ce que vous vous isoliez totalement du reste du monde.

Vous découvrirez que la foi est un sentiment qui se bonifie. En ayant confiance en vous et en agissant d'une façon qui inspire la confiance chez les autres, vous attirerez à vous des gens semblables, que vous rallierez à votre cause.

De grandes choses adviennent lorsque quelqu'un croit en vous…

J'ai eu le privilège et la chance d'avoir bénéficié de la confiance que les gens avaient placée en moi à divers moments de ma carrière. Mon premier éditeur a cru en l'article que j'avais rédigé et l'a fait imprimer. Je peux vous dire que cet avant-goût du succès m'a donné l'impression d'une giclée d'eau fraîche comme si j'avais erré dans le désert pendant des années. Mes années de lutte et de survie ont commencé à s'estomper presque immédiatement et je me suis uniquement concentré sur le formidable avenir que je pressentais.

Ce qu'il y a de bien quand vous croyez en autrui, c'est que non seulement votre vie en est embellie, mais vous faites aussi un cadeau à la personne à qui vous accordez votre confiance, un cadeau qui peut profondément les inspirer.

Quand vous croyez en autrui, la réciproque est vraie aussi. Vous récoltez ce que vous semez. L'histoire suivante vous révèle de quelle façon un de mes rêves les plus chers est devenu réalité après des années. J'espère qu'elle vous incitera à poursuivre vos rêves.

Nightingale-Conant Publishing est un géant dans le monde des livres et autres documents axés sur le développement personnel. Ils sont connus depuis presque 50 ans pour leur impressionnant catalogue de produits audio tant sur les affaires, la motivation, le travail sur soi, les relations, la santé et la spiritualité.

Depuis que j'avais décidé de devenir écrivain et de me consacrer à la diffusion de messages et de méthodes aidant les gens à mener une vie plus satisfaisante, je connaissais l'existence de Nightingale-Conant. Je voulais voir mes propres enregistrements motivationnels être inscrits à leur catalogue depuis 1990. Le prestige de voir mes ouvrages figurer sur le catalogue de cette maison d'édition très respectée m'attirait, ainsi que les profits qui pourraient éventuellement se concrétiser, étant donné leur vaste clientèle.

Je voulais faire partie d'une brochette d'auteurs célèbres et talentueux, parmi lesquels Tony Robbins, Tom Peters, Deepak Chopra, Brian Tracy et Wayne Dyer, pour n'en citer que quelques-uns. Mais pendant environ 10 ans, ce désir ne s'est pas concrétisé.

Ce n'est pas parce que je n'ai pas essayé! Même si j'expédiais toujours mes livres à Nightingale-Conant dès leur parution, mon travail n'a apparemment jamais suffisamment suscité leur intérêt. J'ai reçu des réponses automatisées et parfois aucune réponse. Mais je n'ai jamais renoncé. En fait, mon rêve s'est renforcé au fil des années. D'une façon ou d'une autre, j'avais confiance que les choses tourneraient à mon avantage à un moment donné. Alors, je continuais d'écrire et de travailler sur ce qui me passionnait : la rédaction d'ouvrages, qui je l'espérais, sauraient inspirer, informer et véritablement aider mes lecteurs et lectrices.

C'est alors que la chose la plus inattendue et la plus incroyable s'est produite.

Un jour, j'ai commencé à recevoir toute une série de courriels de la part d'un homme, qui me posait beaucoup de questions sur mes livres et mes enregistrements, qu'il s'était procurés. Des questions sur le marketing en général et sur P.T Barnum en particulier. Grand admirateur de Barnum, il adorait le livre qu'il avait lu de moi, *There's a Customer Born Every Minute* [*Chaque minute voit naître un nouveau client*], dont le titre provenait bien sûr de la fameuse expression de Barnum. J'adore quand les gens sont si intéressés et inspirés par mon travail qu'ils me contactent personnellement. J'ai donc répondu avec joie à toutes les questions de cet homme.

Un jour, sans crier gare, il m'a envoyé un autre courriel disant : « Si jamais vous voulez que votre travail soit pris en considération par Nightingale-Conant, dites-le-moi. Je suis leur gestionnaire de marketing. »

Je n'avais pas la moindre idée que le gestionnaire de marketing chez Nightingale-Conant était l'homme avec qui je correspondais ! Comme vous pouvez l'imaginer, j'ai été extrêmement surpris et totalement enchanté. Sans perdre un instant, je lui ai expédié tous mes livres, toutes mes vidéos et mon cours d'étude à domicile (six enregistrements audio et un manuel). Il s'est avéré que mon nouvel ami à Nightingale-Conant a ADORÉ tout ce que je lui avais envoyé. Toutefois, il restait d'autres obstacles à franchir dans cette maison d'édition. Il a donc immédiatement entrepris la démarche fastidieuse et plutôt longue de vendre mon travail au reste de l'équipe.

Il a fallu presque une année d'appels téléphoniques, de fax, de courriels et de nombreux paquets expédiés par Federal Express pour que mon premier ouvrage, *The Power of Outrageous Marketing* [*Le pouvoir du marketing de choc*], sorte en 1999. Lorsque j'en ai eu l'occasion, j'ai créé une formule tout compris vraiment incroyable et leur ai proposé tout ce que j'avais de mieux à offrir à l'époque. C'est ce qui m'a incité à mettre mon cours de marketing à jour. Actuellement, la maison d'édition vend toute une gamme de mes livres et CD.

Autrement dit, sa foi en moi a permis à la maison d'édition d'avoir confiance en moi, ce qui a engendré un enchaînement d'événements positifs dans ma vie. La force de mon rêve et de ma vision d'origine m'a incité à avoir confiance en moi et en mes projets. Et c'est ce qui a lancé le bal. Vous voyez comment tout s'imbrique? Quand quelqu'un croit en vous (mon contact croyait en moi à un degré stupéfiant et me l'avait répété sans cesse pendant 11 mois), un miracle peut se produire. C'est ainsi que j'ai pu goûter à la véritable magie qui s'opère lorsque vous êtes en accord avec votre raison d'être et que vous suivez l'inspiration de votre cœur.

La foi en soi amène à avoir foi en autrui, et vice versa. C'est une voie à double sens.

Il existe un virus mental suscité par la peur qui dit : «Je ne peux faire confiance à personne parce que j'ai été blessé, trahi ou abandonné».

Mais vous ne pouvez présumer de l'avenir en fonction des expériences passées. Si des gens vous ont laissé tomber, c'est que vous avez une leçon à tirer de cette expérience. Et cette leçon positive vous permettra à l'avenir d'aller dans la bonne direction. Soyez assuré que quelque chose de mieux vous attend toujours, même en ce qui concerne vos rapports avec autrui.

Avoir foi en autrui ne veut pas dire avoir aveuglément confiance en autrui, loin de là.

Il existe certaines mesures à prendre pour acquérir un certain degré de confiance en autrui...

Le mieux est de commencer avec les relations les plus ordinaires et les plus intimes. Si vous disposez d'un réseau de gens en qui vous pouvez croire, les choses les plus difficiles dans la vie deviendront plus faciles et plus légères.

La grande leçon à tirer, c'est que le sacré se trouve dans l'ordinaire, qu'on le trouve dans sa vie quotidienne, chez ses voisins, ses amis, sa famille, son arrière-cour. — Abraham Maslow

La foi en soi est le fondement de toute chose, et la foi en autrui commence par les proches.

Famille et amis…

Si vos rapports avec les autres n'ont pas été bons dès votre plus jeune âge, la confiance sera beaucoup plus difficile à établir plus tard. Un enfant apprend à faire confiance et à avoir foi en autrui en fonction de son milieu familial. C'est pour cette raison que les situations d'abus conduisent les victimes à si souvent et si malheureusement devenir des personnes ayant énormément de difficulté à faire confiance à qui ou quoi que ce soit.

Pour instaurer la confiance dans les rapports personnels, il faut commencer lentement et avec les petites choses, à partir des interactions ordinaires quotidiennes que vous avez avec les gens. C'est à partir de ces interactions que la foi en autrui se bâtit.

Ayez foi en de petites choses parce que c'est en elles que vous trouverez votre force.

— Mère Teresa

Si vous avez déjà adopté un chien ou un chat dans une société protectrice des animaux, vous savez ce qu'il faut faire pour gagner sa confiance et établir un lien solide avec lui. Les animaux apprennent la confiance par la plus élémentaire des interactions — la nourriture. Ils apprennent à vous faire confiance quand vous les nourrissez jour après jour. C'est très simple, mais pour eux, de toute évidence vital. Ce sont donc les interactions quotidiennes qui nous apprennent à faire confiance ou pas. Par extrapolation, c'est également ainsi que nous pouvons inciter les autres à avoir confiance en nous.

Mère Teresa était l'exemple incarné de la foi. Je ne parle pas ici de ses fortes croyances religieuses si connues. Toute son organisation existait seulement grâce à des gestes de charité, ce qui veut dire qu'elle dépendait entièrement de dons pour financer ses propres œuvres et pour poursuivre son travail. Comme elle avait confiance que le monde soutiendrait ses efforts, c'est ce qui s'est passé. Les gens lui ont fait confiance.

Elle semblait déterminée à avoir foi en autrui, même lorsque la situation ne semblait pas le garantir. En 1982, ceux d'entre nous qui étaient présents à l'époque se souviendront probablement du chaos qui régnait au Moyen-Orient, en particulier au Liban. Au plus fort des tensions, pendant ce que nous appelons maintenant le « Siège de Beyrouth », 37 enfants se sont retrouvés piégés dans un hôpital qui se trouvait sur le front. Les combats s'étaient tellement aggravés dans la ville, qu'il était impossible de faire sortir ces enfants de l'hôpital pour les conduire dans un lieu sûr. Les deux opposants restaient campés sur leur position, refusant de faire un geste.

Mère Teresa a toutefois senti qu'elle devait apporter son aide. Alors, malgré la gravité de la situation, elle a fait preuve d'une foi inébranlable qui a permis aux deux partis d'en venir à la raison. En fait, elle a réussi à négocier un cessez-le-feu temporaire entre l'armée israélienne et la guérilla palestinienne, le temps qu'elle se rende dans la zone de guerre avec les secouristes de la Croix-Rouge et qu'elle évacue les jeunes patients de l'hôpital.

Sa foi a dû être immense pour qu'elle soit sûre que les deux partis — des ennemis jurés — estiment que ces enfants devaient être sauvés et la laissent entrer en toute quiétude dans cette zone pour le faire.

Mais point besoin de vous jeter dans les tensions internationales pour tester votre foi en autrui. Mieux vaut commencer par le quotidien et voir jusqu'où cela vous conduira. Commencez par faire confiance à vos amis et aux membres de votre famille, à vos proches. Si vous occupez un poste de responsabilité, observez ce qui se produit lorsque vous accordez votre confiance à vos subordonnés. Ayez confiance qu'ils exécuteront bien le travail, vu que les gens ont généralement tendance à répondre à nos attentes.

Rappelez-vous que :

- La foi engendre la foi, et la confiance engendre la confiance.
- C'est comme une floraison qui se propage et devient exponentielle.

Lorsque les choses vont mal...

Il est malheureusement vrai que certains d'entre nous se trouvent dans des situations où les amis et même les membres de la famille ne sont pas dignes de confiance. Avoir foi en autrui ne veut pas pour autant dire fermer les yeux sur les relations toxiques ou laisser les autres profiter de nous. Loin de là! Mais lorsque vous commencez par avoir solidement confiance en vous, vous saurez rapidement quand une relation ou une situation ne vous convient pas. Vous saurez quand l'autre personne a vos intérêts à cœur ou pas.

Ce qui importe, c'est de ne pas laisser une expérience détruire votre confiance en autrui. Si vous ne pouvez pas compter sur les membres de votre famille ou s'ils ne vivent pas près de vous, il faut vous bâtir un cercle d'amis et d'associations sur lesquels vous pouvez compter.

La confiance est une voie à double sens. C'est une clé qui vous permettra de savoir en qui vous pouvez avoir confiance.

Avoir confiance dans les relations personnelles…

La foi est la première des choses que vous devriez mettre dans le coffre de l'espoir.

— Sarah Ban Breathnach

Dans le mariage, la foi (du latin *fides* signifiant engagement) est l'unique clé du bonheur véritable. Le mariage est probablement le contexte où le terme *fidélité* est le plus employé en dehors de son usage dans le contexte religieux. Si vous partagez votre vie, votre lit et vos finances avec une autre personne, il faut pour commencer avoir foi en l'autre.

C'est pour cette raison que votre grand-mère vous disait toujours de prendre votre temps avec les relations et les gens, surtout quand vous tombiez en amour avec quelqu'un. Le temps est la seule chose qui vous dira si une personne est digne de votre confiance. C'est la seule façon d'établir un lien qui soit fondé sur la confiance mutuelle.

Le mariage et les relations ont incité la culture populaire à faire l'éloge de ce qui est superficiel en donnant l'impression que nous entretenons tous des relations temporaires semblant être principalement fondées sur des sentiments qui peuvent changer aussi rapidement que les tendances de la mode. L'expression «pour le meilleur et pour le pire» veut dire pouvoir compter l'un sur l'autre lorsque les choses vont mal. De nos jours, les médias semblent vouloir nous inonder d'anecdotes de gens riches et célèbres qui changent de partenaires sans la moindre hésitation. Ce n'est pas le genre d'atmosphère et d'attitude qui incitent les gens à se faire réciproquement confiance, ni à bien saisir ce que la foi en autrui et en une relation veut dire.

C'est pourtant d'Hollywood que nous parvient l'histoire d'un des mariages les plus réussis dont nous puissions nous inspirer.

Paul Newman et Joanne Woodward ont célébré leur 50e anniversaire de mariage juste avant que Paul Newman ne décède en 2008. Non seulement c'est une durée remarquable pour n'importe qui, mais cela l'est encore plus pour des gens subissant les pressions de la notoriété hollywoodienne. Avec son typique sens de l'humour, Newman a un jour attribué la durabilité de son union aux « bonnes doses équilibrées de plaisir et de respect ». Il a invoqué une autre raison, souvent citée, au cours d'une interview de magazine durant laquelle on lui avait demandé comment il faisait pour être heureux en mariage alors que son rôle d'acteur l'amenait à être en contact avec de nombreuses autres femmes et avec le lot de tentations venant avec elles. «J'ai du steak à la maison, alors pourquoi me contenterais-je d'un hamburger?»

Paul Newman et Joanne Woodward ont souvent travaillé ensemble et éprouvaient un profond respect l'un pour l'autre. Ils étaient l'incarnation vivante du couple dont la confiance réciproque est du plus haut degré, ce qui était de toute évidence fondé sur le fait qu'ils savaient qu'ils étaient faits l'un pour l'autre. Ils sont arrivés à se faire tellement confiance et à s'apprécier tellement l'un l'autre, qu'ils se sont assurés que les gestes qu'ils posaient contribuaient à cette confiance. Ces gestes ont soutenu cette confiance pendant les décennies qu'a duré leur mariage. Leur foi réciproque les a donc amenés à poser des gestes qui ont non seulement fait démarrer leur relation, mais qui l'ont également entretenue pendant très longtemps.

Même si une relation ne marche pas...

La foi se traduit par la persévérance et la résilience parce que, si une relation ne fonctionne pas ou si quelqu'un vous laisse tomber, vous savez que vous pouvez vous reprendre. La foi en vous-même et en autrui vous dit que, malgré toutes les difficultés et quelles que soient les raisons qui ont mis fin à ces relations, ce n'est pas parce que quelque chose va de travers chez vous. Vous pouvez tirer une leçon de l'expérience et vous reprendre. La question est aussi d'avoir foi en votre propre avenir.

La confiance est cruciale pour le développement des enfants...

La foi en autrui est particulièrement importante quand il s'agit des enfants. Tout jeune enfant avec qui vous êtes en rapport ressentira les effets de votre manque de confiance en lui. Et cela pourra avoir des conséquences désastreuses pour lui.

Si vous n'avez pas foi en vos enfants, ils ne pourront pas s'épanouir ni devenir des adultes indépendants. Leur jugement sera altéré, étant donné qu'ils n'auront jamais eu l'occasion de le développer. Ils ne croiront pas en eux ni en leurs aptitudes parce qu'on ne leur aura jamais donné l'exemple. Accorder sa confiance aux enfants, c'est comme arroser des plantes. La confiance est ce dont les enfants ont besoin pour grandir.

Quand il s'agit des enfants, la confiance — ou le manque de confiance — produit un effet Pygmalion. Si vous n'avez pas confiance qu'ils feront les bons choix dans les limites du raisonnable et en fonction de leur phase de développement, il est presque assuré qu'ils le sentiront et qu'ils agiront en conséquence.

Une collègue s'est un jour confiée à moi en me racontant qu'elle avait eu une enfance difficile et s'était retrouvée dans des situations critiques à l'adolescence. C'est un grand défi pour de nombreux parents qui ont des filles — les garçons, faire la fête et ce genre de choses. Elle m'a dit avoir même quitté le lycée pour aller vivre avec son petit ami afin de défier ses parents. Ce genre d'histoire est très commun. Par contre, venant de sa part, cela m'a surpris parce c'était une femme que j'avais toujours connue comme un bourreau de travail. C'était une professionnelle consciencieuse possédant plusieurs diplômes et utilisant son temps libre auprès d'enfants démunis. D'après ce que je savais, sa réputation irréprochable remontait jusqu'au milieu de la vingtaine. Il va sans dire que je suis vraiment resté surpris quand elle m'a candidement avoué ce passé.

Alors que nous parlions, elle m'a toutefois mentionné une chose que j'ai trouvée très révélatrice. Ses parents avaient été très durs et exigeants avec elle. Ils la privaient de sortie dès qu'elle rentrait ne serait-ce qu'une minute après l'heure convenue. Ils ne croyaient jamais un mot de ce qu'elle leur disait et ils appelaient à droite et à gauche pour vérifier les détails qu'elle venait de leur raconter. En fait, les choses se passaient toujours mal pour elle, que ces détails fassent une différence réelle ou pas. Elle m'a raconté que, quand elle allait parfois chez une amie et qu'elle rentrait à pied au lieu de se faire raccompagner par le père de celle-ci, ses parents la privaient de sortie dès son retour parce qu'ils refusaient de croire les raisons qui l'avaient amenée à vouloir rentrer à pied. Ils étaient certains qu'elle manigançait quelque chose de mal sur le chemin du retour.

En fait, les problèmes avec ses parents se sont tellement aggravés, juste parce qu'elle essayait d'être raisonnable, qu'elle y a tout simplement renoncé. Elle en est arrivée à la conclusion qu'elle ne pouvait pas gagner leur confiance et a donc décidé de renoncer à le faire. C'est à ce moment-là qu'elle a vraiment commencé à se tenir avec la mauvaise graine du lycée et à avoir réellement des problèmes. Vu qu'elle avait déjà des problèmes, quelle différence cela pouvait-il faire? À l'instar des adultes, ou peut-être encore plus que les adultes, les enfants seront à la hauteur de nos attentes — ou pas.

Sa « logique d'adolescente » nous a fait rire et j'ai été émerveillé par la façon dont elle a réussi à se reprendre en main à un si jeune âge. Malgré le manque de confiance de ses parents, elle a réussi à maintenir sa propre confiance en elle et s'en est servie pour se construire une vie de possibilités constructives.

Le conseil classique que l'on donne aux parents le dit bien : on ne peut enseigner à ses enfants que ce que l'on sait. Ensuite, il faut avoir confiance qu'ils mettront cet enseignement en pratique.

La foi n'est pas aveugle…

La foi, ce n'est pas croire sans preuve, mais avoir une confiance sans limite. — D. Elton Trueblood

L'expression «faire acte de foi» est bien connue, non pas sans raison. En effet, à un moment donné, avoir foi en autrui veut effectivement dire se lancer dans le vide, dans l'inconnu, tout comme le fait le trapéziste. Mais soyez certains que les trapézistes ont passé d'innombrables heures à travailler et à s'entraîner ensemble, pour bâtir ce sentiment de confiance l'un envers l'autre. Et ils le font en fonction de la connaissance qu'ils ont l'un de l'autre, en fonction de la connaissance des capacités, du style et de la synchronisation l'un de l'autre.

En ce qui concerne ma propre histoire concernant Nightingale-Conant et la raison pour laquelle j'estimais tellement cette maison d'édition (comme bien d'autres gens), ma confiance en eux concernait leurs antécédents et leur incroyable éventail d'auteurs. Dans le monde des affaires, la confiance est un talent, que cette maison d'édition avait su acquérir en s'assurant que les produits proposés étaient de haute qualité. Je savais donc que leurs clients seraient également portés à apprécier mon travail, advenant le cas où mes ouvrages seraient inclus dans leur catalogue.

Fondez votre foi sur quelque chose de concret…

- Prêtez attention aux éléments de base, aux petites choses. Par exemple, qui vous soutient dans les moindres détails?
- Tournez-vous vers votre réseau de soutien pour solliciter des opinions, par exemple vers les membres de votre famille et vos amis.
- Fondez votre jugement en fonction de la qualité, pas en fonction des éléments superficiels.
- Rappelez-vous que les actes parlent davantage que les paroles. Tenez donc compte de ce que les gens font, pas de ce qu'ils disent.

- ✦ Écoutez la petite voix qui vous parle. Votre jugement est bien meilleur que ce que vous ne pensez.
- ✦ Sachez reconnaître les limites. Il se peut que vous ayez confiance en votre voisine pour garder vos enfants pendant quelques heures, mais que vous estimiez ne pas pouvoir les lui laisser pour une fin de semaine (ou quelque chose du genre).

Plus on se connaît, plus la confiance grandit avec le temps. Par contre, il faut avoir suffisamment confiance pour prendre ce temps.

Il n'est pas toujours aisé de bâtir une confiance en la vie à partir de rien, car il s'agit plutôt d'un processus qu'une simple réponse monosyllabique (oui ou non). L'autre solution ne laisse cependant planer aucun doute. En effet, le manque de confiance ferme les portes et vous fait battre en retraite, alors que la confiance vous donne accès au monde et à ses possibilités.

La foi confère aussi de la résilience. Elle vous permet de rebondir après les contretemps et de ne pas céder à la peur ou au sentiment d'échec. Les contretemps sont seulement des corrections survenant sur votre parcours pour vous signaler la bonne direction.

La foi à l'œuvre…

On dit souvent — et c'est tout à fait vrai — que nous passons plus de temps au travail avec nos collègues de bureau qu'à la maison avec notre famille. La foi est donc également importante dans les relations d'affaires et essentielle quand il s'agit de créer un esprit d'équipe nécessaire à la réussite, que vous travailliez à votre compte ou pour une entreprise.

Le monde du sport professionnel d'équipe nous fournit un exemple flagrant de ce qu'est le concept de la foi en autrui. À une époque, j'avais l'habitude d'assister à des matchs de football américain. Comme bien des gens, je me souviens du quart-arrière Joe Montana comme l'un des plus grands joueurs de tous les temps.

Même le plus incroyable des quarts-arrière ne peut remporter à lui seul quatre fois le Super Bowl ni le meilleur record de passes de toute la NFL (ce qu'il a réussi à faire en 1987 et 1989). Comme tous les grands joueurs, Joe Montana savait que ses résultats impressionnants étaient le fruit d'un travail d'équipe où tous les membres effectuaient leur travail à un niveau supérieur.

En fait, lui et l'ailier éloigné, Jerry Rice, sont devenus le duo de rêve pendant les six saisons durant lesquelles ils ont joué ensemble dans l'équipe des 49ers de San Francisco. Ils sont d'ailleurs encore le duo quart-arrière-ailier par excellence dans la ligue. Jerry Rice est lui-même détenteur d'un record depuis 1995, celui du plus grand nombre de passes en une seule saison. Ces deux hommes étaient des athlètes accomplis et au sommet de leur art lorsqu'ils jouaient dans la même équipe. Leur foi l'un en l'autre et en leurs capacités respectives se fondait sur l'expérience et sur les connaissances qu'ils avaient acquises en travaillant ensemble. Vu que le football américain est un jeu aussi rapide qu'imprévisible, tout quart-arrière a besoin d'un gars de confiance — un gars vers qui se tourner quand il se fait coincer et qu'il ne peut aller vers personne d'autre. Il sait que l'ailier éloigné a observé ce qui se passe sur le terrain, à la recherche de la brèche qu'il sait que le quart-arrière trouvera. Et tout cela est fondé sur la foi qu'ils ont professionnellement l'un en l'autre.

La connaissance, ce n'est que la moitié du parcours. L'autre moitié, c'est la foi. — Novalis

Il arrive un moment magique où vous savez que vos rapports avec une personne sont si bien établis que vous pouvez avoir une confiance absolue l'un en l'autre. Bien sûr, tous les duos de quart-arrière/ailier éloigné s'efforcent de trouver ce genre d'assurance qui régnait entre Joe Montana et Jerry Rice. Mais de toute évidence, il existe quelque chose d'intangible qui distingue un duo de tous les autres. C'est son côté magique, le côté où la foi prend le dessus et instaure une qualité se situant au-delà des aptitudes individuelles.

Lorsque vous croyez en vous, vos choix se font en fonction d'une confiance bien ancrée, et ce que vous attirerez sera de la positivité et des gens qui contribueront de façon positive à votre vie, et vous à la leur.

La foi, c'est croire en ce que vous ne voyez pas. Et la récompense de la foi, c'est voir ce que vous croyez. — Saint Augustin

Lorsque vous croyez aux autres, il y a réciprocité. Mais, il vous faudra parfois faire un saut dans le vide sans vraiment disposer de données. Les circonstances l'exigeront peut-être.

Lors d'une conférence, j'ai rencontré une femme avec qui j'ai bavardé durant la pause-café. Elle m'a mentionné qu'elle fêterait son anniversaire de mariage le lendemain. Naturellement, je l'ai félicitée. Ce qui l'a fait un peu rire, puis elle m'a expliqué qu'il ne s'agissait pas de son anniversaire de mariage, mais du jour où elle était censée se marier.

Et elle m'a raconté une histoire incroyable. Son mari, qui était son fiancé à l'époque, avait eu un grave accident au chantier de construction environ une semaine et demie avant la date prévue pour leur mariage. Il souffrait de blessures multiples. Elle avait passé la journée où ils auraient dû se marier à l'hôpital, lui tenant la main alors que, sans arrêt, il perdait conscience et revenait à lui.

En rentrant chez elle au beau milieu de la nuit, elle est tombée en panne sur l'autoroute. Pour couronner le tout, à l'époque, il était question dans la région d'un tueur en série, qui selon les gens racolait ses victimes exactement sur cette partie de route. Toutes ces choses lui traversaient l'esprit tandis qu'elle se tenait sur le bord de la route, effrayée et désemparée. Soudain, elle a senti une main sur son épaule. C'était un jeune homme qui l'avait vue et s'était arrêté pour l'aider. Il avait pris la sortie suivante et était revenu l'attendre dans sa fourgonnette, sous la bretelle, là où sa voiture était tombée en panne.

« Je dois vous dire que j'ai hésité quelques instants, m'a raconté la femme, à cause de la fourgonnette et de ce tueur en série... Mais jamais je n'avais autant senti un tel besoin d'aide. J'ai donc décidé de faire aveuglément confiance. »

Le jeune homme l'a aidée à passer par-dessus la barrière de protection et à descendre vers sa fourgonnette. Dans celle-ci attendait une jeune femme, l'amie du jeune homme. Ensemble, ils l'ont conduite vers une station-service, d'où elle a pu appeler l'Association américaine des automobilistes (les téléphones cellulaires n'existant pas encore), et le couple est resté avec elle jusqu'à l'arrivée des secours. Elle m'a confié que son moral était au plus bas à l'époque, et que c'est ce couple qui l'avait aidée à retrouver confiance en autrui.

Il se peut que vous ne puissiez pas avoir confiance en une personne précise. En fait, il s'agit ici de croire en l'humanité dans son ensemble. Vous savez que même si votre partenaire amoureux vous a quittée après une dispute concernant son infidélité, vous pouvez encore envisager l'idée de rencontrer une autre personne, et ce, avec des attentes positives. Vous pourrez faire un meilleur choix et savoir que ce ne sont pas tous les hommes qui cherchent à vous tromper. Tout commence par la foi en vous et en votre capacité à faire de bons choix. Tout commence aussi en croyant qu'il existe beaucoup de bonnes gens dans le monde, ainsi que des personnes vraiment hors du commun que vous croiserez de diverses façons, et que ces rencontres se traduiront par différents résultats positifs.

La foi vous permet de vous délester de vos fardeaux tout en ayant les yeux bien ouverts. Vous pouvez effectuer des choix positifs et également tirer des leçons positives des erreurs que vous avez faites.

La foi est contagieuse…

En septembre 2011, des feux de forêt ont éclaté dans certaines zones du Texas, où j'habite, pendant presque toute l'année. J'ai décidé d'envoyer un courriel aux gens figurant sur ma liste d'envoi en leur demandant de penser à la pluie et de maintenir cette pensée dans leur esprit.

Presque immédiatement après, la pluie s'est mise à tomber. Un ami qui avait dû évacuer sa maison à cause du feu m'a raconté qu'on lui avait permis de revenir chez lui plus tôt que prévu parce que la fumée semblait s'être dissipée dans sa zone. Un autre ami m'a raconté qu'il se préparait à évacuer les lieux, mais qu'on lui avait dit qu'il n'avait pas à le faire, qu'il était en sécurité.

Était-ce parce que nous pensions tous à la pluie ? Je ne sais pas mais je peux vous citer 23 études scientifiques qui ont prouvé que lorsque des gens méditaient ensemble sur la même intention positive, ils pouvaient mesurer les résultats positifs dans leur entourage.

Dans certaines de ces études, par exemple, les scientifiques ont rapporté une baisse significative de la criminalité à proximité de la collectivité où les méditations avaient lieu.

En fait, un long cycle programmé de méditation, qui a duré de 1988 à 1990, a parfaitement coïncidé avec la fin de presque tous les grands conflits mondiaux, y compris la guerre en Afghanistan, et même la fin historique de la guerre froide et la chute du mur de Berlin.

Comme je croyais au pouvoir de la visualisation positive, ma foi est devenue contagieuse de manière constructive. Certains m'ont même averti qu'il était risqué pour moi de prétendre tout haut qu'un groupe ayant la foi avait le pouvoir de manifester des choses. Mais j'ai constaté les résultats.

Ma foi a aidé d'autres gens à renforcer la leur. Les gens m'ont suggéré de répéter l'exercice — utiliser la foi et la méditation en groupe pour aider à résoudre certains problèmes mondiaux urgents. Et c'est en partie la raison d'être de ce livre !

Quand vous croyez aux autres, vous les aidez à tendre vers le meilleur — et cela devient contagieux. Si je vous guide pour vous aider à vous transformer, je dois d'abord avoir foi en vous et en votre capacité à vous transformer. Il ne s'agit pas uniquement d'une stratégie de survie, d'une stratégie qui vous permet d'avancer sans peur, mais de quelque chose qui se transmet chemin faisant et qui alimente les relations, qu'il s'agisse de relations avec les membres de la famille, les amis, les collègues de travail ou le patron.

Selon moi, en choisissant la foi comme base pour entrer en contact avec d'autres gens, une réaction en chaîne se déclenche qui vous amène tout d'abord à vous tourner vers l'extérieur et immédiatement après, de nouveau vers l'intérieur. C'est l'ultime situation gagnant-gagnant.

4

LA FOI EN L'UNIVERS

Vivre sans la foi, c'est comme conduire
dans le brouillard.
— Proverbe

Ainsi que je l'ai dit dans les chapitres précédents, la foi fait tache d'huile. Tout commence par la foi en soi, qui se traduit par la foi en autrui, en ceux qui se trouvent dans votre entourage et que vous croisez sur votre route. La foi est une assise qui commence obligatoirement par vous.

Mais peu importe la teneur de votre foi et de vos efforts pour évoluer dans l'esprit de la foi, et non pas dans celui de la peur, par rapport à vous ou à autrui, notre société moderne nous rend le travail doublement difficile quand il s'agit d'étendre cette foi à l'univers. Pour quelle raison ? Pour la simple raison que le monde dans lequel nous vivons est ancré dans la peur.

Nous sommes programmés à avoir peur...

Dans notre société, les gens tirent en majorité l'information des grands médias. Ce courant médiatique est fondé sur la peur, certainement pas sur l'idée de la foi ni sur l'action fondée sur l'esprit de confiance entre êtres humains. Nous sommes constamment bombardés par des messages et des histoires qui renforcent nos craintes les plus sombres et certaines peurs qui ne nous seraient jamais venues à l'esprit.

Je le sais mieux que quiconque puisque j'ai été formé comme journaliste à mes débuts dans le monde du travail. Nous avions été précisément formés pour débusquer le mal et le négatif — ce qui était considéré comme des « nouvelles ». Les médias rapportent tout le temps les exemples extrêmes du comportement humain, comme s'ils étaient la norme. Ils rapportent les actes et les incidents les plus violents se déroulant dans d'autres pays, quasiment à l'exclusion de toute autre question ou événement, au point de nous convaincre que le monde en dehors de notre sphère personnelle, dont les paramètres se réduisent constamment, doit être horrible, inhospitalier et dangereux. Dans ce cas, mieux vaut rester chez soi !

J'ai rencontré un jour une femme qui enseignait l'écriture créative et avec qui j'ai discuté de nos activités respectives. Au cours de la conversation, elle m'a mentionné qu'elle donnait un cours d'écriture à des enfants. Alors qu'elle corrigeait leurs devoirs, elle a remarqué une petite tendance chez certains élèves à inclure des éléments violents et troublants dans leurs histoires : des parents qui mourraient, des créatures effrayantes, etc. Même si ces histoires étaient globalement bien rédigées, elle a mentionné aux élèves que les notes seraient à la baisse dans le cas où ces éléments violents et troublants ne seraient pas résolus dans l'histoire, vu que le principal objectif des livres pour enfants est de les aider à donner un sens à leur monde, non pas de leur donner peur d'y vivre. « Nous devons associer le positif au négatif, autrement dit, si un parent du personnage meurt, il faut montrer aux jeunes lecteurs une façon de composer avec cette situation. L'histoire doit comporter le message que la vie peut suivre son cours, que les problèmes peuvent être résolus et que même les tragédies peuvent être surmontées. Nous devons leur montrer qu'il existe une façon de s'en sortir », m'a-t-elle expliqué. « C'est dommage, par contre, que l'on ne fasse pas la même chose dans les livres pour adultes, n'est-ce pas ? » a-t-elle ajouté.

Ses réflexions m'ont vraiment frappé. Ce qu'elle m'a dit est absolument vrai. Dans le monde des romans pour adultes, de la télévision pour adultes, des nouvelles ou de tout ce que les adultes consomment, les fins malheureuses sont presque toujours la règle. L'idée derrière tout cela, c'est qu'en devenant adultes nous pouvons affronter cette «réalité». Mais est-il vraiment question de réalité dans ce cas-ci?

Même lorsque nous ne regardons pas les nouvelles, les films et les émissions de télévision s'appesantissent sur les aspects négatifs de la nature humaine, renforçant ainsi notre vision négative et craintive du monde. En ce qui concerne les émissions télévisées, il s'avère que ce qu'elles transmettent ne correspond pas du tout la réalité.

Dans ces émissions, il est question d'un monde beaucoup plus violent et dangereux que le monde dans lequel nous vivons. Les recherches effectuées sur le sujet le prouvent. Depuis 1955, les personnages de la télévision sont sujets à un taux de meurtre 1 000 fois plus élevé que dans la vraie vie (information tirée de *Watching America* de Stanley Rothman *et al*, Prentice Hall, New York, 1991). Ce n'est qu'un divertissement, objecterez-vous. Mais ce que nous regardons et absorbons sans arrêt forme la base de ce que nous considérons comme normal, que nous en soyons conscients ou pas. Pourquoi ce désir de nous complaire dans la violence, l'agression et le crime ? On peut certes parler d'échappatoire : pouvoir rentrer chez soi après une journée remplie de hauts et de bas ordinaires et de s'évader dans un monde totalement différent. Mais, selon moi, cela va plus loin.

Le fait est que la combinaison des nouvelles négatives du journal du soir et des émissions que nous regardons habituellement a convaincu la moitié des gens que notre société est en déclin et que le taux de la criminalité a augmenté. Dans un sondage Gallup effectué en octobre 2011, 68 % des Américains croyaient en l'affirmation « La criminalité est plus élevée maintenant qu'il y a un an ». La plupart croyaient aussi que le taux de criminalité avait augmenté depuis 10 ans.

Vous avez peut-être déjà entendu des personnes âgées dire : « Dans mon temps, on ne verrouillait jamais les portes ! » Et c'est la pure vérité ! Il y a quelques décennies, dans certaines communautés, on pouvait laisser les portes déverrouillées, envoyer les enfants à pied à l'école et les laisser jouer dehors toute la journée sans inquiétude, on pouvait garer la bicyclette près de la porte sans cadenas et, en général, se sentir en sécurité dans le voisinage.

Qu'est-il arrivé ?

Au risque de me répéter, ce qui est arrivé, ce sont les nouvelles. Il n'est pas question ici d'une seule chaîne de nouvelles ni même d'un seul type de médias. De nos jours, nous disposons littéralement de douzaines de choix pour prendre les nouvelles, des quotidiens traditionnels aux nouvelles diffusées 24 heures sur 24 sur le câble, en passant par les nouvelles sur Internet, où tout le monde peut dorénavant ajouter son grain de sel à n'importe quel moment. La concurrence est féroce et toutes les parties concernées se battent pour retenir notre attention avec des titres alarmants et sensationnels, et avec des histoires qui ont un grand impact émotif.

Mais revenons à la réalité. En fait, selon le bureau du recensement des États-Unis, le taux des homicides a presque diminué de moitié entre 1980 et 2008 (dernière année pour laquelle les statistiques sont disponibles) et que cette tendance s'est confirmée dans toutes les statistiques démographiques. Toujours selon la même source, le taux de cambriolage a également baissé entre 1990 et 2009, parfois de moitié selon la nature du délit.

Oui, nous avons plus peur et sommes plus appréhensifs et inquiets quand il s'agit des autres humains. Plus que jamais ! Pourquoi ? Parce que nous sommes inondés de messages négatifs.

Nous sommes programmés à avoir peur de nos voisins, de nos villes, de nos collectivités et du monde en général. Nous sommes programmés à avoir peur des autres gens, des autres pays, des autres confessions. Au lieu de cultiver la foi, nos sociétés cultivent la peur. Et ceci a un effet durable et personnel sur chacun de nous.

Lorsque vous avez atteint la limite de toute lumière familière et que vous êtes sur le point de sombrer dans les ténèbres de l'inconnu, la foi vous dit qu'une de ces deux choses se produira : soit vous poserez pied sur quelque chose de solide, soit vous apprendrez à voler. — Patrick Overton

Nous ne pouvons connaître le genre de certitude dont parle Patrick Overton, lorsque nous vivons dans un état d'appréhension et de peur. Comme cela nous est tout simplement impossible, nous devenons handicapés par la perte de notre potentiel.

Une de mes collègues, une écrivaine, m'a mentionné avoir cessé de lire les journaux et de regarder le journal télévisé depuis quelques années. Elle avait connu une séparation difficile et était maintenant heureuse de pouvoir avancer dans sa vie. Ce n'était pas par réaction à cette expérience de séparation qu'elle ne s'intéressait plus aux nouvelles. En fait, elle n'avait jamais vraiment pris consciemment de décision à ce sujet, pour ainsi dire, mais elle n'avait tout simplement pas renouvelé son abonnement au journal en aménageant dans son propre appartement. Et comme elle accordait toute son énergie à sa carrière, elle était en général trop occupée pour regarder la télévision, alors les nouvelles…

Elle a constaté avec surprise que cela faisait une grande différence dans sa vie et sur le plan des émotions. Cette différence lui est apparue clairement un soir alors qu'elle disposait de temps pour regarder la télévision. En commençant à passer d'une chaîne à l'autre pour trouver une émission à regarder, elle est tombée sur la chaîne locale qu'elle n'avait pas regardée depuis quelques années. La nouvelle principale était terrifiante : une mère et ses six enfants venaient de périr dans l'incendie de leur maison à environ 30 minutes de voiture de chez elle.

« Je me suis sentie vraiment mal après avoir regardé ça ! » m'a-t-elle dit. « Non seulement j'étais horrifiée, mais j'étais également anxieuse et je me suis sentie personnellement blessée par tous ces détails horribles. » Comme elle me l'a expliqué par la suite, cela ne s'est pas arrêté là. « Je me suis sentie très bizarre, même jusqu'au lendemain, justement parce que je ne suis plus exposée à ce genre de choses. J'étais perturbée, déstabilisée. J'ai aussi éprouvé du ressentiment et je me suis demandé pourquoi on me faisait sentir ainsi. Je ne veux pas donner l'impression d'être sans cœur, mais... je ne connais pas ces gens, et même si cette ville n'est pas loin de chez moi, je n'y suis jamais allée. Cette situation a suscité chez moi des sentiments d'anxiété, de peur et même de dépression légère, alors que je ne pouvais rien faire et que je ne pouvais pas sauver ni aider ces gens d'une façon ou d'une autre. Et ce n'était que la première histoire aux nouvelles! J'ai été vraiment heureuse de retrouver ma routine sans nouvelles. »

Je n'insinue certes pas que les bulletins d'information devraient éliminer toutes les histoires ayant un aspect négatif. Dans le cas de tragédies, comme dans l'exemple de mon amie, la diffusion de la nouvelle a un côté positif parce que les gens de la collectivité se regroupent pour soutenir les survivants et leur permettre de composer avec la perte de leurs proches et de leurs biens. Il a en effet été prouvé à maintes reprises que les gens se viennent en aide dans de tels moments. Il s'agit donc d'un des meilleurs aspects de la diffusion de ce genre d'accident puisque cela permet de concentrer l'aide. Mais au lieu de mettre l'accent sur la réaction de la collectivité et sur les efforts de reconstruction, les médias mettent l'accent sur les horribles détails des tragédies. Dès que l'histoire devient plus «banale» parce qu'elle concerne la façon dont les survivants composent avec la situation pour recoller les morceaux, les médias s'en désintéressent.

Les histoires de tragédie et de perte reviennent sans cesse dans tous les réseaux médiatiques. Ensuite, ces nouvelles s'ajoutent à l'enfilade d'histoires tout aussi alarmantes, déroutantes, tragiques et inquiétantes qui proviennent du monde entier. Ces nouvelles s'accumulent, jour après jour sans relâche. Pas étonnant que les gens deviennent craintifs et appréhensifs, ou qu'ils prennent le contre-pied de la chose en se coupant de tout et en se concentrant uniquement sur leurs intérêts personnels et égocentriques.

Cela revient à dire qu'on nous incite à nous enfermer à double tour dans nos foyers sécurisés... et à regarder davantage la télévision!

La foi en l'univers se fait à de nombreux et différents niveaux. Si nous nous réfugions tous dans notre petit environnement personnel, trop craintifs pour passer à l'action dans le monde, ce n'est plus une problématique individuelle, cela devient une problématique de sociétés, de nations, ainsi qu'une problématique relationnelles entre sociétés. Et ce sont ces problématiques qui mènent aux relations internationales tendues qui viennent renforcer nos peurs.

La guerre froide, que nombre d'entre vous auront connue d'une façon ou d'une autre, a été caractérisée par une méfiance extrême et un manque total de confiance en des points de vue polarisés, et ce, à une échelle globale. Cette situation a atteint son apogée avec la crise cubaine des missiles en 1962, année où le monde entier a retenu son souffle alors que le président américain, John F. Kennedy, défiait le régime soviétique du président Nikita Khrouchtchev au sujet de la fabrication de missiles russes sur le sol cubain. Alors que les forces américaines organisaient un blocus naval à Cuba, les responsables soviétiques expédiaient leurs sous-marins vers les Caraïbes pour contrer le blocus.

Dans une lettre adressée au président Kennedy, Nikita Khrouchtchev disait que le blocus naval était « un acte d'agression qui propulsait l'humanité vers l'abîme de la guerre nucléaire mondiale ». Cette menace a été très réelle et s'est maintenue pendant 13 longues journées, alors que le reste du monde retenait son souffle dans la peur.

Mais que s'est-il passé en fin de compte ?

Monsieur le Président, nous et vous ne devrions pas tirer sur les extrémités de la corde avec laquelle vous avez créé le nœud de la guerre, parce que plus nous tirons dessus tous les deux, plus le nœud se resserre. Et il viendra un moment où ce nœud sera si serré que même ceux qui l'auront serré n'auront plus la force de le défaire. Il sera alors nécessaire de couper ce nœud et ce que cela implique, je n'ai pas besoin de vous l'expliquer, parce que vous comprenez parfaitement vous-même les forces terribles dont nos pays respectifs disposent.

Par conséquent, si nous n'avons pas l'intention de resserrer davantage ce nœud et de condamner le monde à une guerre thermonucléaire, assurons-nous non seulement de

> *renoncer aux forces qui tirent sur la corde, mais aussi de prendre des mesures pour défaire ce nœud. Nous sommes prêts à le faire.* — Lettre du président Khrouchtchev au président Kennedy, le 26 octobre 1962.

Une entente a finalement été conclue. En échange du retrait des missiles américains sur le sol européen et turc, le gouvernement soviétique a accepté de démanteler les missiles de Cuba et d'arrêter leur fabrication dans l'île. L'incident a été le fruit de la soi-disant « doctrine de destruction mutuelle », qui se fondait sur le raisonnement suivant : en pointant des armes nucléaires l'un sur l'autre, nous serons sûrs que ni l'un ni l'autre ne passera à l'action.

C'est l'exemple extrême d'une doctrine fondée sur la peur, selon laquelle la crainte l'un de l'autre nous empêchera d'utiliser les armes. C'était un mode de pensée qui ne pouvait tout simplement pas durer. Cela devait finir d'une façon ou d'une autre.

Penchons-nous maintenant sur ce qui s'est produit depuis. Le rideau de fer est tombé, ainsi que le mur de Berlin. La guerre froide s'est terminée après des décennies de tension. Il s'avère que les gens des pays, qui jadis étaient nos plus grands ennemis militaires et politiques, veulent à présent jouir de leur liberté pour gagner leur vie et subvenir aux besoins de leurs familles... et aller de l'avant comme tout le monde.

La question n'est pas de ne plus avoir d'ennemis, tant sur le plan personnel que mondial. Malheureusement, ce n'est pas possible. Mais c'est un exemple d'incident qu'il est bon de se rappeler lorsque les nouvelles internationales se concentrent quotidiennement sur des actes et des incidents de violence et d'agression. Lorsque deux ennemis mortels en sont venus au seuil du désastre total, il a tout de même été possible de faire marche arrière pour trouver un terrain d'entente et mettre fin à la crise. Cela dit bien quelque chose sur la nature humaine.

L'amour, l'espoir, la peur, la foi — tels sont les éléments qui font l'humanité. Ils en sont le signe, la note et le caractère.

— Robert Browning Hamilton

Nous en revenons cependant à une vérité essentielle : même si les politiciens et les régimes vont et viennent, les peuples restent fondamentalement les mêmes. Ils veulent les mêmes choses partout dans le monde.

Faisant contraste avec la guerre froide ou les tensions internationales actuelles, la frontière canado-américaine est le modèle parfait de coexistence pacifique. Elle est souvent qualifiée de «plus longue frontière du monde non protégée», ce qui est vrai dans le sens où il n'y a aucune présence militaire sur toute sa longueur. Avec ses 8 890 kilomètres, il s'agit en fait de la plus longue frontière du monde, frontière qui n'a connu aucun conflit depuis plus de 100 ans.

En raison de ces rapports internationaux inhabituellement ouverts, les deux pays sont réciproquement leurs plus grands partenaires commerciaux. En effet, une extraordinaire quantité d'échanges commerciaux s'effectuent d'un côté à l'autre de la frontière, sans parler des relations personnelles entre Canadiens et Américains.

La foi est récompensée tandis que la peur n'engendre que de la peur. Si, en tant qu'individu, vous avez foi en ce monde, vous vous investirez pour apprendre et évoluer, pour chercher des ouvertures et trouver des gens avec qui établir des contacts. Et ces gens peuvent vous aider à réaliser vos objectifs personnels et professionnels.

On peut comprendre beaucoup de choses sur les gens lorsqu'ils sont soumis au stress. Bien sûr, nous nous souvenons tous des trois coups durs portés au Japon en 2011 : le tremblement de terre d'une magnitude de 9,0, le tsunami causé par ce tremblement de terre, et la radiation émanant d'une centrale nucléaire en partie détruite. Même avec tous les déplacements humains, la misère et la souffrance, le pillage et les vols dans les maisons et magasins abandonnés ont été très marginaux et certainement moins graves que les pillages et les délits londoniens pendant les fameuses émeutes d'août 2011.

Quelle est la raison à cela? Les Japonais ont simplement décidé en tant que société de se faire confiance mutuellement, de croire que le peuple se comporterait de façon bénéfique pour tous, pas seulement pour soi-même. Le

Japon est une société fondée sur la foi collective et sur le maintien des principes qu'ils affectionnent. Et ça fonctionne!

Si la foi n'existait pas, on ne pourrait pas vivre dans ce monde. On ne pourrait même pas manger de pommes de terre en toute sécurité.

— Josh Billings

Dans un sens très réel, nous dépendons les uns des autres pour notre sécurité, des quartiers aux grandes collectivités, en passant par les relations internationales. La foi entre humains est une nécessité parce que, sans elle, la vie sur terre devient invivable.

Je n'ai besoin de rien d'autre que de la foi en la bienveillance des êtres humains. Je suis si prise par mon émerveillement face à la terre et à la vie qu'elle abrite, que je ne réussis pas à penser au paradis et aux anges. — Pearl S. Buck

Quelles que soient nos croyances religieuses, nous avons besoin les uns des autres ici sur cette Terre. Je ne cherche pas à diminuer la spiritualité sous une forme ou un autre, ni à la décourager — en fait, un chapitre complet lui est consacré dans cet ouvrage ! Mais nous avons besoin d'instaurer un équilibre entre la spiritualité et la foi pragmatique entre humains sur tout le globe. La spiritualité ne peut remplacer la foi, et vice versa.

C'est la foi entre humains qui assure le maintien des éléments moraux de la société, tout comme c'est la foi en Dieu qui lie le monde à son trône.

— William M. Evarts

Sans cette foi réciproque entre humains, le tissu même de la société commence à s'effilocher. Nous finissons par nous replier sur nous-mêmes et par créer ce que nous craignons le plus, un monde où l'homme est un loup pour l'homme et où la peur dicte la moindre de nos pensées et de nos actes, nous coupant ainsi les uns des autres.

Brisez le cercle vicieux de la peur…

Soyez téméraire. Laissez la peur derrière vous et aspirez au monde de la foi.

Aspirer veut ici dire passer à l'action. Et quand vous passez à l'action, les choses changent. Elles se mettent en mouvement. La foi n'est pas quelque chose de statique qui consiste à attendre que les choses en lesquelles vous croyez viennent à vous. La foi c'est une énergie qui vous pousse dans la bonne direction et vous incite à agir pour réaliser vos rêves et vos souhaits, dans un monde où vous savez que vous pourrez trouver les personnes et les choses dont vous aurez besoin.

Se lancer dans le monde donne des résultats tangibles.

La foi, c'est l'assise. Même si je l'ai déjà mentionné plus tôt, cela vaut la peine de le répéter : la foi est l'antidote de la peur. Il y a beaucoup à gagner à s'ouvrir aux autres, que ce soit sur le plan personnel ou sur le plan des relations internationales.

Vous empêchez tout rêve de se réaliser lorsque vous laissez la peur prendre le pas sur la foi.

— Mary Manin Morrissey

Passer à l'action est un signe de foi.

Quel sens cela a-t-il pour vous personnellement, sans parler des nations du monde entier? Même si vous croyez en vous et en certaines personnes, si vous ne croyez pas au monde, cela veut dire que vous ne vous y aventurez pas, que vous n'essayez pas de vous y aventurer et même que vous essayerez de vous replier sur vous-même. Mais en plus, vous vous préparez à l'échec.

Si vous agissez avec foi dans le monde, vos horizons s'élargiront. Par contre, cela ne veut pas dire que vous devez agir à l'aveuglette.

La foi doit être appuyée par la raison. Lorsque la foi est aveugle, elle s'éteint. — Mahatma Gandhi

Mahatma Gandhi était connu pour son pacifisme, mais il conseillait tout de même d'ajouter la raison à la foi. Avoir la foi ne veut pas dire balayer de la main toute prudence parce que vous croyez absolument que les choses fonctionneront. En fait, il faut être prudent sans laisser cependant les peurs vous limiter. C'est en quelque sorte un exercice d'équilibre qui permet d'acquérir des certitudes. Cela ne veut pas dire que les choses et les gens qui croiseront votre route vous seront tous bénéfiques. Cela veut dire que le positif vous attend quelque part et qu'il viendra à vous si vous vous en approchez avec foi et amour.

La connaissance et la préparation sont les clés qui vous permettront de trouver les diamants dissimulés dans les aspérités du monde.

Prenez les mesures appropriées…

- Préparez-vous à affronter ce qui arrivera dans votre vie par tous les moyens possibles. Pour commencer, il existe des livres sur tous les sujets pour apprendre ce qu'il vous faut savoir sur les situations auxquelles vous devrez faire face.
- Ayez des attentes réalistes, mais ne cessez pas de rêver. Cette combinaison semble impossible, mais elle ne l'est pas en fait. La réalité peut être belle et pleine de possibilités. C'est ce en quoi vous avez besoin de croire.
- N'écartez pas les vrais dangers et soucis, mais avancez en restant informé et préparé.

La foi ne consiste pas à essayer de croire en quelque chose, peu importe la situation. La foi consiste à oser quelque chose en dépit des conséquences. — Sherwood Eddy

Soyez conscient de ce qui vous attend, ensuite passez à l'action. Informez-vous des risques inhérents à ce que vous voulez entreprendre et passez ensuite à l'action en ayant tout d'abord confiance en vos propres aptitudes et jugement, et ensuite, en ayant confiance qu'un monde bienveillant vous attend où vous trouverez votre voie.

La foi est contagieuse, tout comme l'est la peur...

Agissez en toute bonne foi, et cela vous sera rendu en retour. Agissez dans la peur et la méfiance, et c'est ce que vous aurez en retour.

Nous aimons fonder nos actes sur la méfiance, estimant qu'il s'agit de simple bon sens et de sagesse. Le monde est un endroit dangereux où l'on ne peut faire confiance à personne, n'est-ce pas? Par contagion, nous transposons ce sentiment de méfiance et de peur aux gouvernements et aux autorités en place. Pourtant, il s'agit des gens que nous élisons! Comment se fait-il que les personnes que nous élisons pour répondre à nos besoins deviennent également l'objet de notre méfiance?

Quand nous doutons et nous méfions des gens et des rouages sur lesquels la société est fondée, nous arrêtons tout simplement d'en être partie prenante. En fait, le nombre de votants dans une élection confirme cette tendance. Chaque année depuis 1970, le nombre de votants américains représente moins de 60% des votants éligibles (selon la Commission fédérale des élections et le Programme américain des élections). Ceci est le signe évident que les gens ne croient plus en leur propre système gouvernemental.

Comment cela peut-il changer?

Cela peut changer si nous nous investissons. Cela peut changer si nous faisons tous un geste pour être actifs dans nos communautés.

Les mêmes principes s'appliquent ici que ceux dont il a été question plus haut pour le domaine personnel. Il faut passer à l'action, mais avec prudence et en faisant appel au bon sens. Il faut croire tout en ayant le réflexe de rester en contact avec les autres et de se tenir informé.

Si nous voulons avoir foi en nos institutions sociales — ou la retrouver — nous devons tous faire notre part et nous investir en toute connaissance de cause et bien préparés. Il ne s'agit pas du « nous contre eux », mais seulement du « nous ». Lorsque nous nous tenons les coudes, notre foi grandit et devient plus grande que nous tous.

Cherchez ce qu'il y a de bien, pas ce qu'il y a de mal. Soyez disposé à creuser pour trouver ce qui est bien, vrai et qui en vaut la peine, qu'il s'agisse de candidats à élire ou de tout autre domaine vous concernant. Il faut avoir la foi que le bien est là à attendre que vous le trouviez. Et vous le trouverez !

Déprogrammez-vous !

Je ne suis pas en train de suggérer de vous couper totalement des nouvelles ou des médias. Il n'est pas nécessaire de vous transformer en ermite pour échapper aux émissions qui instillent la peur et le négatif. En fait, je vous dis exactement le contraire !

Il vous faudra par contre prendre des mesures pour contrebalancer ce flot de messages négatifs par d'autres sources d'information.

- ✦ Trouvez d'autres sources d'information. Ne vous contentez pas de prendre les nouvelles et les informations auprès d'une seule source. Trouvez d'autres sources qui présentent différentes opinions et options politiques pour que votre point de vue ne soit pas déformé par ceux qui essaient de trouver la formule la plus accrocheuse ou le scénario le plus sensationnel.
- ✦ Trouvez autre chose que les nouvelles pour découvrir ce qui se passe réellement dans votre communauté et dans le monde. Cherchez des groupes de nouvelles et des babillards en ligne où vous pourrez non seulement lire, mais aussi interagir en discutant avec d'autres gens. Impliquez-vous dans les domaines qui sont importants à

vos yeux ; vous serez alors votre propre source d'information.

- Cherchez le positif, pas seulement le négatif. Les bonnes nouvelles existent, il suffit de les dénicher.
- Internet est un outil formidable pour élargir vos horizons et vous libérer des éternels messages négatifs diffusés par les médias commerciaux qui induisent la peur.

En fait, les médias électroniques que sont Internet et la technologie téléphonique sans fil sont deux excellents exemples de la force du regroupement. Cette technologie a profondément transformé notre monde et a rendu possibles des choses qui ne l'avaient jamais été auparavant, tout cela parce que les gens se parlent au lieu de rester dans le vase clos de leur petit monde et de leur environnement familier et immédiat. Le monde s'est ouvert pour tous. Alors, il faut profiter de toutes les possibilités offertes par la technologie.

En fait, vous pouvez facilement créer en ligne votre propre communauté de gens ayant les mêmes aspirations et valeurs que vous. En vous investissant ainsi, vous exercerez une influence sur les autres, et les autres sur vous. Ce faisant, vous découvrirez que votre foi en l'univers sera renforcée.

Je préférerais errer par la foi que par le doute.
— Robert Schuller

Alors, créez une communauté, un réseau et un monde fondés sur les personnes et les choses auxquelles vous croyez. Ensuite, laissez prendre de l'expansion à ce que vous avez créé sans cesser de vous investir. Vous découvrirez que vous FAITES partie de la « majorité silencieuse ». Dans votre collectivité et dans le monde, il existe beaucoup de gens qui veulent simplement avancer dans la vie sans heurter quiconque, des gens qui sont heureux de s'entraider dans les moments de besoin ou même ne serait-ce que pour aller de l'avant. Au fond, nous sommes tous pareils.

La foi, ce n'est pas seulement quelque chose que vous possédez, mais quelque chose que vous faites.

— Barack Obama (discours donné le 1er décembre 2006)

Il existe un dicton selon lequel « Qui ne risque rien, n'a rien ». Cela revient à dire que vous ne tirerez rien de la vie si vous n'êtes pas disposé à y investir quelque chose. Que cela concerne votre vie personnelle, votre vie professionnelle ou votre carrière, vous devez sauter dans le vide et avoir confiance que vous retomberez sur vos pieds si besoin est. Vous ne pouvez pas réussir dans un monde dont vous avez peur.

Ayons foi dans l'idée que le droit fait la force; et soutenus par cette croyance, osons faire notre devoir tel que nous le comprenons.

— Abraham Lincoln

Il n'existe aucune garantie dans la vie, entend-on souvent dire, et tout le monde connaît des déboires. Mais, lorsque ces déboires se produisent et que vous avez l'impression que le monde entier vous laisse tomber, comme ce sera le cas de temps en temps, vous saurez que ces déboires ne doivent pas biaiser votre perception des gens ou des choses. Avec la foi, vous considérerez les mauvaises expériences comme des occasions d'apprendre à être plus prudent à l'avenir. Vous évoluerez et apprendrez à éviter les déboires futurs. Ainsi, votre foi en vous ne fera que grandir.

La foi est le ciment qui assure la cohésion au sein des sociétés humaines. Le manque de foi a bien failli tous nous détruire, et détruira certainement tous nos rêves si nous lui laissons prendre le dessus dans notre mode de pensée.

Jouez votre rôle dans le monde. Plus vous établissez de contacts, plus votre foi sera récompensée. Lorsque vous vous investissez, cela vous revient. Mais si vous vous repliez sur vous, vous vous retrouverez seul, sans alliés. Investissez-vous dans le monde et dans votre communauté, faites-en partie et faites partie de son évolution. Plus vous en savez et plus vous avez de contacts, plus cela sera gratifiant pour vous. Vous ne savez jamais qui vous pouvez rencontrer, qui peut vous aider ou qui vous pouvez aider.

Que ce soit en personne ou en ligne, investissez-vous dans le monde avec un esprit de véritable bonne volonté. Ainsi, vous trouverez des semblables avec qui établir des contacts.

L'emploi d'Internet, ce médium qui permet aux gens d'établir des contacts entre eux et qui m'a permis d'aider des gens avec mes écrits et mes réalisations, a été un des éléments essentiels de ma réussite. Je dois admettre que les choses ne semblaient vraiment pas prometteuses au début de ma carrière. Je sais ce que l'on ressent quand on lance quelque chose dans l'univers de l'électronique et que l'on se demande si quelqu'un vous lit ou vous écoute. On peut parfois avoir l'impression d'être seul et coupé des autres en raison du manque de présence physique.

Mais les réactions des gens ont été enrichissantes et je leur en suis reconnaissant. J'ai cru en moi et en mon produit, j'ai cru aux gens de mon entourage immédiat qui m'ont aidé à concrétiser mes objectifs et j'ai cru que je saurais prendre ma place dans le monde une fois que j'y serais entré. Résultat? Le monde a bien réagi. Jusqu'à présent, ma foi n'a pas été mal investie.

Internet a véritablement changé la façon dont nous pouvons voir le monde, interagir avec lui et apprendre de ce dernier. Cela veut dire que nous ne sommes pas obligés d'accepter les points de vue sinistres et démoralisant que les médias transmettent. Dorénavant, nous pouvons nous informer nous-mêmes. Nous pouvons non seulement dénicher l'information, mais également entrer en contact avec des gens partout sur la planète.

Comment en profiter?

Tout le monde sait que la réussite en affaires dépend des gens que l'on connaît. Mais ceci est également valable pour d'autres domaines. Par exemple, ceux qui travaillent dans le domaine de l'écriture ou dans tout autre domaine créatif savent que les réseaux sont essentiels, pas seulement pour trouver des possibilités d'emploi, mais pour développer leur domaine professionnel. S'investir dans le monde par le biais des passions professionnelles est une merveilleuse façon d'établir des liens avec des gens et des organismes au-delà des frontières.

L'univers est vaste et l'on y trouve aussi bien le bon que le mauvais, le positif que le négatif. Mais qu'il s'agisse d'une démarche personnelle ou professionnelle, et que cela concerne votre ville natale ou un autre endroit sur le globe, soyez assuré que quelque chose de bien vous attend et viendra à vous si vous agissez honnêtement et en toute bonne foi.

5

LA FOI EN UNE PUISSANCE SUPÉRIEURE

Tous ceux qui font appel à Dieu
en toute bonne foi du fond de leur cœur seront
certainement entendus et recevront ce qu'ils
désirent et auront demandé.
— Martin Luther King

J'ai gardé ce chapitre pour la fin pour un certain nombre de raisons, en particulier celle qui fait que le concept de la foi peut facilement être mal interprété.

Je parle de foi en une Puissance supérieure et pourtant, en même temps, je n'attribue à cette Puissance aucun nom ni contexte particulier. Si je le faisais, si je nommais ou avalisais une religion particulière, l'esprit des gens pourrait s'orienter vers des questions, dogmes et détails particuliers qui n'ont absolument rien à voir avec les concepts que j'essaie de présenter ici.

En fait, j'irais même jusqu'à dire que j'obtiendrais l'effet inverse puisque cela pourrait donner aux gens une raison de se sentir divisés et incités à la division, alors que c'est exactement le contraire que je veux faire. Si nous établissons notre foi à partir de la base, c'est-à-dire à partir de la foi en nous, puis de la foi en autrui, en la société, puis le monde dans lequel nous vivons, alors cela ne peut que nous rapprocher les uns des autres.

Lorsque vous qualifiez cette Puissance supérieure de « Dieu », cela peut activer des boutons qu'il vaut mieux laisser tranquilles !

Qu'est-ce qu'une Puissance supérieure ?

S'il ne s'agit pas de Dieu à proprement parler, alors que voulez-vous dire par Puissance supérieure ? Je suis certain que c'est ce que vous vous demandez.

Quand je parle de Puissance supérieure, je parle de cet océan d'énergie dont nous venons et dont nous faisons partie. En ce qui me concerne, je sens fortement cet océan dans tout ce que je fais. En fait, je baigne dans cet océan, et ensemble, nous baignons tous dans celui-ci. C'est cet océan qui nous relie tous les uns aux autres. C'est une force, une énergie, qui à son tour nous relie à quelque chose au-delà de ce monde.

C'est plus grand que vous, que moi, que n'importe qui ou n'importe quoi existant dans le plan où nous vivons.

La foi, c'est de l'imagination spiritualisée.

— Henry Ward Beecher

J'ai la forte impression que cet océan prend soin de moi. Derrière tout ce qui arrive, il existe une force qui nous guide et que j'ai déjà sentie clairement à de nombreux moments de ma vie. C'est probablement votre cas aussi. C'est une force qui nous donne l'impression de savoir que nous sommes tous reliés à une énergie qui englobe tout, une énergie bienveillante et pleine d'amour.

Ma compréhension de cette force se développe à mesure que je vis ma vie. Je dois admettre que tout ne m'a pas été révélé d'un coup, qu'il y a eu de nombreux moments et événements où je ne voyais absolument pas cette force. Souvent, c'est seulement avec le recul que nous pouvons donner un sens aux événements qui se sont produits et constater que cette Puissance supérieure était à l'œuvre pour nous pendant tout ce temps.

Croire en une Puissance supérieure, c'est savoir que si je fais ma part et que j'agis avec foi par tous les moyens dont il a été question jusqu'ici, les situations et les circonstances finiront par se révéler de la façon la plus saine, prospère et miraculeuse.

Quelle est l'autre option ?

Avoir foi en une Puissance supérieure est un choix que vous faites — tout comme celui d'avoir foi en ceux que vous rencontrez, ou d'agir avec confiance dans votre vie en toutes circonstances. Mais, vous pouvez choisir de ne pas avoir la foi, et c'est ce que nombre de personnes font.

Mais que veut vraiment dire le fait de ne pas avoir foi en une Puissance supérieure qui agit pour notre bien ?

Le contraire de la foi en une Puissance supérieure, c'est croire qu'il n'existe rien dans l'univers, que le ciel est froid et vide. Cela veut dire que nous sommes les rejetons aléatoires de nos parents, que nous faisons partie d'un scénario qui nous oblige nous, êtres humains chétifs, à nous débattre seuls face aux éléments de l'univers. Cela veut dire que nous sommes les victimes de la nature aléatoire du monde et d'un destin aveugle, seulement les victimes des circonstances de notre vie.

Le manque de foi en une Puissance supérieure, c'est aussi un système de croyance —

ou un système de non-croyance! — dont les ramifications s'étendent à tout ce que vous faites dans la vie.

Quand j'étais enfant, j'étais fasciné par les récits des aventures de Jack London au Klondike ou en haute mer. J'ai été un grand admirateur de ses récits, entre autres *Croc-Blanc* et *L'appel de la forêt*, qui décrivaient avec passion un homme qui se battait avec bravoure contre les éléments. J'en suis venu à beaucoup admirer Jack London pour son talent à pouvoir transmettre sur chaque page cette énergie crue et viscérale. Il m'a incité à devenir écrivain à mon tour.

Mais jetons un coup d'œil à sa vie, une vie de baroudeur foisonnant d'aventures, dont il a fait le thème dans ses ouvrages.

Jack London était un enfant illégitime qui a eu une enfance tumultueuse. En fait, il a connu tumulte et bouleversement avant sa naissance puisque sa mère a essayé de se suicider lorsque son père biologique a insisté pour qu'elle se fasse avorter. Cet événement a instauré chez lui un scénario qui devait durer jusqu'à la fin de ses jours. Jack London a grandi dans un quartier ouvrier d'Oakland, en Californie. Il a entamé ses célèbres aventures à l'âge de 17 ans en partant en mer sur un bateau de chasse au phoque, aventures qui alimenteront plus tard ses histoires. Au fil des ans, il a occupé toutes sortes d'emploi et a mené une vie fascinante remplie d'exploits casse-cou, de prouesses, d'endurance et d'un grand culot — captivant à lire, du moins à distance! Il a été clochard à une époque et marin aussi, et a même travaillé en tant que pilleur d'huîtres. Et enfin, il a participé à la légendaire ruée vers l'or du Klondike.

Mais je ne l'envie pas du tout!

Il croyait fermement en un individualisme et un darwinisme sans borne, comme force générale de vie. Autrement dit, il croyait en la survie du plus fort. Comme on dit, la loi de la jungle, la loi selon laquelle les êtres humains sont confrontés à la nature et aux autres, chacun devant voir à sa propre survie. Son mode de pensée ne laissait aucune place à une Puissance supérieure, à une énergie ou force bienveillante. Il a certainement vécu sa vie comme s'il n'en existait aucune.

C'était un genre de vie idéal pour écrire des romans, mais une vie qui l'a tué à l'âge de 40 ans. En effet, il est mort d'une combinaison de facteurs, entre autres d'alcoolisme sévère, de problèmes aux reins et, selon ce que nombre de gens pensent, d'une surdose accidentelle de morphine.

C'était certes un homme passionné et aussi un écrivain de talent, deux traits que j'admire beaucoup. Mais il n'a certainement pas vécu avec le genre de foi dont il est question dans mon livre. Si vous avez d'abord foi en vous et que ceci vous amène à avoir foi en une Puissance supérieure, vous savez à quel point il est important de prendre soin de vous et d'établir un contact avec le monde de façon positive. Vous savez que vous pouvez demander de l'aide et que cette aide vous sera accordée, que vous n'êtes pas seul pour supporter le fardeau de la vie et que vous n'avez pas besoin de vous battre quotidiennement pour vous frayer un chemin. De l'aide est à votre disposition et l'univers est un lieu beaucoup plus amical que vous ne l'imaginez.

Je m'adresse à Dieu, mais le ciel est vide.

— Sylvia Plath

Sylvia Plath est un autre exemple tragique du genre, un autre écrivain de grand talent qui, elle, s'est suicidée. La phrase que je cite ci-dessus illustre de façon poignante le genre de désespoir qui l'animait. Vu qu'elle n'avait foi en rien, encore moins en une Puissance supérieure bienveillante, elle se sentait immensément triste et seule. C'est ce qui l'a amenée à se détacher de sa propre vie et de tous ses proches, y compris son mari et ses enfants.

Qu'il s'agisse de moyens directs, comme c'est le cas pour Sylvia Plath, ou de simple négligence comme c'est le cas pour Jack London, il est clair que le manque de foi en une Puissance supérieure s'est traduit par une vie dure, malheureuse et tristement courte pour ces deux artistes et personnages connus. L'objet de votre foi aura une influence considérable sur le genre de gestes que vous poserez et la vie que vous mènerez.

Alors, pourquoi ne pas accorder votre foi en une Puissance supérieure qui est là pour vous? Cela ne peut que vous faire du bien.

La foi et la prière sont les vitamines de l'âme. L'homme ne peut vivre sainement sans elles.

— Mahalia Jackson

Sans une Puissance supérieure…

Les deux écrivains dont j'ai parlé plus haut ont bien entendu produit des œuvres que nombre de personnes admirent, et il est vrai que leurs œuvres se perpétuent bien après que leurs vies se soient terminées avant l'heure. Mais un tel désespoir n'est pas nécessaire si on veut devenir un artiste connu, loin de là. À chaque Jack London ou Sylvia Plath correspond un Jean-Sébastien Bach, qui a vécu une longue vie productive et qui a composé de la musique encore énormément appréciée de nos jours, des centaines d'années après son décès. Je pense qu'il ne s'agit pas d'une coïncidence s'il a composé une grande partie de son œuvre musicale pour célébrer sa foi en une Puissance supérieure. Il avait la foi et cette foi lui a permis de créer une beauté qui est parvenue jusqu'à nous.

Alors, quoi que vous fassiez, ne partez pas avec l'idée que la vie fera de vous un meilleur artiste si vous ne croyez pas en une Puissance supérieure. Ne partez pas avec l'idée que cette absence de croyance vous conférera un petit côté qui pourrait s'avérer utile dans un domaine où la concurrence est féroce. Peut-être appréciez-vous les écrits de Jack London et de Sylvia Plath, mais si vous voulez vivre heureux et comblé, ils vous serviront plutôt de modèles à ne pas suivre.

La foi, ce n'est pas le contraire de la raison.
— Sherwood Eddy

Penchons-nous sur la foi de façon rationnelle. Non, il n'est pas contradictoire de considérer la foi sous l'angle de la raison.

Sans aucune foi en une Puissance supérieure, vous vivez dans le déni de ce qui pourrait vous aider. Pourquoi feriez-vous cela? Pourquoi vouloir porter tous les fardeaux de la vie à vous seul alors que vous n'avez pas à le faire?

En ce qui me concerne, il est insensé que je tourne le dos à une force qui m'emplit d'énergie positive. Je m'adresse à cette Puissance supérieure tous les jours, en particulier si je fais quelque chose dont l'aboutissement m'est incertain. Par exemple, on s'habitue aux interviews quand on travaille dans un domaine où l'on est amené à paraître sur la scène publique, comme c'est mon cas. Pourtant, même si on s'y habitue, on a tout de même l'impression d'être mis à nu lors de ces entretiens. Je dois admettre que c'est ce que je pense chaque fois que je me prépare pour une entrevue. C'est une réaction très humaine.

Alors je demande à ma Puissance supérieure de me soutenir. Je lui demande de m'aider à surmonter tout sentiment de gêne et de faire de l'entrevue une expérience constructive qui aura des répercussions positives sur les auditeurs. Lorsque j'amorce une interview avec cette intention dans mon esprit et mon cœur, je peux honnêtement dire que je suis toujours gagnant.

J'exerce ma foi en une Puissance supérieure en faisant appel à son aide. Je dis : «Je ne peux pas faire ça tout seul.» Puisque l'aide et le soutien dont j'ai besoin sont à ma disposition, pourquoi devrais-je le faire tout seul? Le fait d'établir un contact avec une force supérieure n'est absolument pas un signe de faiblesse, si vous voulez voir les choses sous cet angle. Je pense que l'analogie du réseau digital ou électrique est très appropriée pour décrire la vie, en particulier la foi en une Puissance supérieure. En fait, quand vous considérez les choses ainsi, c'est la seule façon de faire qui a un sens. Il faut s'investir et se «brancher» pour pouvoir avancer et progresser.

La preuve ?

Où est la preuve ?

Je peux déjà entendre les esprits critiques douter et exiger une preuve quelconque. Joe, vous voulez que je saute dans le vide, dans l'inconnu, en croyant qu'une Puissance supérieure me fera atterrir en toute sécurité sur un sentier en contrebas ? Comment puis-je être certain qu'une Puissance supérieure sera toujours là pour me guider vers ce qui sera le mieux pour moi, alors que mon passé ne parle que de souffrances, d'échecs et de déceptions en tous genres ? Où était ma Puissance supérieure à ce moment-là ? Comment a-t-elle pu laisser ces choses se produire ? Et comment savoir si elle ne me laissera pas tomber une fois de plus ?

Avoir la foi en une Puissance supérieure ne signifie pas que tout vous arrivera sur un plateau d'argent sans rien faire ni sans jamais connaître chagrins et épreuves. Les hauts et les bas sont le lot de tout un chacun. Les chagrins et les épreuves font autant partie de la vie que le bonheur et la satisfaction. Il existera toujours des situations sur lesquelles vous n'avez aucun contrôle et qui auront un impact sur un aspect ou un autre de votre vie.

L'inquiétude est une myopie spirituelle. Mais cela se soigne avec une foi intelligente.

— Paul Brunton

Récemment, une amie m'a raconté son histoire : elle avait été fondamentalement malheureuse une bonne partie de sa vie. Même si elle avait relativement bien réussi en tant qu'artiste et graphiste, les exigences de sa vie d'épouse et de mère freinaient sa carrière. Elle avait également été élevée par des parents très stricts qui ne considéraient pas l'art comme une carrière digne de ce nom et qui n'avaient jamais entendu parler de design graphique. Elle avait subi de leur part une pression énorme à entreprendre des études commerciales plutôt qu'artistiques et avait occupé pendant plusieurs années un emploi administratif avant d'envisager le design graphique comme carrière. La région où elle habitait a été frappée de plein fouet par la fermeture d'usines, et les perspectives économiques y étaient réduites. Elle a donc occupé une série d'emplois qui semblaient promettre de l'avancement, mais ne faisaient que s'évaporer en une enfilade de licenciements et de clés sous la porte. Pendant des années, elle a eu du mal à gagner sa vie, alors l'idée de s'établir comme artiste n'était même pas envisageable. Elle m'a confié qu'elle avait été rongée par l'idée d'avoir gaspillé trop de temps, d'avoir pris trop de temps à démarrer sa véritable carrière dans l'art et le design. Quand elle essayait de trouver un emploi, elle avait toujours 10 ou 15 ans de plus que les autres candidats, différence qu'elle considérait à son désavantage. Chaque fois qu'elle entendait parler d'un artiste qui avait réussi, elle éprouvait de l'envie et du ressentiment, sentiments qui revenaient même après avoir finalement commencé à travailler comme graphiste à son compte.

Puis un jour, vers la fin de la trentaine, elle a compris quelque chose. « Ça m'a frappée un jour, m'a-t-elle expliqué. J'ai compris que j'avais l'impression que tout était injuste dans ma vie, que j'avais été retenue par des forces invisibles alors que tous les autres avaient eu la vie si facile. En réalité, si tout m'était venu facilement, je n'aurais pas pu être l'artiste que je suis. Si j'avais pu décemment gagner ma vie en tant qu'adjointe administrative, je n'aurais jamais mis sur pied mon entreprise de graphisme. En fait, l'adversité était nécessaire pour que mes aspirations se déclenchent vraiment. Et pendant tout ce temps, la vie me poussait dans la bonne direction. Et dire que j'ai fait du ressentiment pendant tout ce temps ! »

Cette Puissance supérieure vous soutient et vous aide à transformer les événements et sentiments négatifs en quelque chose de positif. Si vous passez à l'action en ayant la foi, vous serez guidé vers les meilleurs résultats qui soient. Et souvent, ces résultats émergent là où vous ne pouviez pas l'avoir prévu. Lorsque j'ai perdu ma maison et que je me suis retrouvé à la rue, je ne considérais certainement pas cela comme quelque chose de positif. Mais avec le recul, je sais que le fait d'avoir vécu dans de telles conditions m'a poussé à travailler beaucoup plus dur et à me concentrer davantage à réussir en tant qu'écrivain. Comme mon amie, si la vie avait été beaucoup plus facile et si un autre genre d'emploi avait facilité ma vie sur le plan matériel, je n'aurais peut-être jamais connu le succès que j'ai.

La foi, ce n'est pas la croyance que Dieu fera ce que vous voulez. C'est la croyance que Dieu fera ce qui est juste.

— Max Lucado, *He Still Moves Stones*

C'est pour cela que je dis que je n'ai pas besoin de preuve, en tout cas pas de preuves tangibles. Je n'ai signé aucun contrat avec une Puissance supérieure, que je puisse vous montrer, disant qu'elle me soutiendra dans tout ce que j'entreprendrai.

Mais, par contre, je suis certain de nombre de choses.

Je sais que j'ai été guidé dans la bonne direction, même si je ne le réalisais pas à l'époque. Quand j'ai entamé ma démarche pour gagner ma vie en tant qu'auteur, jamais je n'aurais pu imaginer que les bienfaits que j'en ai retirés pouvaient exister, et jamais je n'aurais pu rêver de vivre la vie que je mène. Quelque chose, quelqu'un — ma Puissance supérieure — a rêvé le reste de mon parcours à ma place et m'a offert un dénouement riche en bienfaits sur tous les plans.

Ce parcours a commencé quand j'étais un sans-abri et s'est terminé par une vie d'auteur à succès. Mais les choses n'ont pas toujours été claires ni bien marquées. J'ai parfois eu l'impression que ce parcours me menait dans toutes sortes de directions. Mais j'ai eu confiance que si j'agissais en toute bonne foi, avec l'intention d'aider les autres grâce aux connaissances que j'avais acquises et grâce à mes écrits qui célébraient la vie et le positivisme, je pourrais également avoir confiance que la bonne voie me serait montrée, au point où je pourrais publier mes écrits et les diffuser. Le reste, comme on dit, c'est du passé ! J'ai publié tellement de livres, livres électroniques, CD, DVD et livres audio que je ne peux les compter. Et je vis la vie des gens riches et célèbres. C'est un dénouement que, à une époque, j'aurais qualifié de totalement inimaginable, de trop tiré par les cheveux pour être vrai.

Mais maintenant, c'est la seule preuve dont j'ai besoin.

Ayez la foi, agissez d'une façon qui soit digne de la confiance des autres, et constatez les résultats. Votre foi vous apportera différents bienfaits que vous ne pouvez pas encore imaginer.

Posez-vous la question la plus élémentaire suivante : Cela me fait-il mal ? Non. Cela m'aide-t-il ? Oui !

Ce n'est pas une question de honte ou de punition…

Le message que je veux faire passer n'est pas destiné à rabaisser quiconque. Il n'est pas destiné à dénigrer ceux qui prétendent ne pas avoir foi en Dieu ou en tout autre Puissance supérieure, ni à mépriser quiconque à ce sujet.

À mon avis, le manque de foi en une Puissance supérieure est quelque chose de triste et de malheureux, pas quelque chose à dénigrer ou mépriser. Mon objectif est d'inviter les gens à avoir la foi en leur donnant des exemples de résultats positifs, pas de les faire agir par crainte que quelque chose de mal se produira s'ils n'ont pas la foi.

Alors, s'il vous plaît, n'agissez pas parce que je vous ai fait peur avec mes histoires tristes d'artistes morts trop jeunes. Ayez foi en une Puissance supérieure en fonction de la façon dont elle vous aide, pas parce que vous avez peur d'être puni. Réfléchissez un peu. Si vous croyiez que vous serez puni, c'est que vous accorderez foi à cette punition ! Une chose est certaine, c'est que la logique de la foi est imparable.

Ne tombez pas dans le piège de la peur du péché et de la punition. Vivez dans la foi avec un sentiment de joie.

La foi, c'est marcher de façon déterminée et à toute vitesse dans le noir. Si nous connaissions vraiment d'avance toutes les réponses sur le sens de la vie, sur la nature de Dieu et sur la destinée de notre âme, notre croyance ne serait plus celle du saut dans l'inconnu, ni un acte courageux d'humanité. Ce serait juste une prudente police d'assurance. — Elizabeth Gilbert

En ce qui me concerne, je crois en une Puissance supérieure, que j'appelle « le Divin » et dont je parle dans mon ouvrage *Zéro Limite.*

Le Divin

Qu'est-ce que je veux exactement dire par Divin ?

Le Divin est tout — la somme totale de l'existence, la somme de tout ce qui existe dans l'univers. Selon moi, l'univers et le Divin sont par définition une seule et même chose.

Par contre, certains auteurs d'ouvrages sur le développement personnel se réfèrent au terme « Univers » lorsqu'ils parlent de l'esprit inconscient. Je me rappelle avoir participé à une émission de radio où l'animatrice avait déclaré que l'Univers ne sait pas faire la différence entre l'imagination et la réalité. En fait, ce qu'elle voulait dire réellement, c'est que c'est l'inconscient qui ne sait pas faire cette différence. Cette erreur est commune et peut s'avérer déroutante.

En ce qui me concerne, l'inconscient se situe sous le conscient, mais c'est lui qui mène le bal. Il ne sait pas faire la différence entre ce dont vous rêvez et ce que vous voyez. Et de ce fait, vos intentions peuvent s'y inscrire. L'inconscient est quelque chose d'individuel. C'est quelque chose qui est sous la surface, sous votre surface, sous votre conscient. Vous pouvez entrer en contact avec votre inconscient, mais seulement de façon indirecte, comme je l'ai mentionné, pour y inscrire des intentions et des visions. Mais cet inconscient vous est propre, vous ne le partagez avec personne d'autre.

Par contre, l'univers est le Grand Tout. Et il est conscient de tout. Il sait faire la différence entre l'imaginaire et la réalité. On peut aussi l'appeler le Divin.

Tout ce que j'ai vu m'apprend à faire confiance au Créateur pour tout ce que je n'ai pas vu.

— Ralph Waldo Emerson

J'ai commencé ce chapitre en expliquant la raison pour laquelle je n'employais pas le terme «Dieu». J'en ai une autre à vous donner dont je n'ai pas encore parlé. Lorsque nous parlons de Dieu, nous avons tendance à le concevoir comme quelque chose d'apparenté à l'être humain, comme un super être humain peut-être. Mais nous restons dans un concept. Ce n'est pas ce à quoi je fais allusion quand je parle du Divin.

Le Divin est le Témoin qui est derrière toute vie.

Si le Divin est le Grand Tout, les gens sont-ils divins eux aussi ?

Oui, mais ne le dites à personne. Les gens sont la divinité exprimée sous une forme physique. Nous ne savons pas que nous sommes divins parce que nous sommes censés nous éveiller à cet état de fait. Notre long cheminement de découvertes est la véritable raison d'être de la vie, car il nous ramène finalement au Divin.

Dieu, notre Créateur, a inscrit dans notre esprit et dans notre personnalité un grand potentiel de force et de capacité. Et c'est la prière qui nous permet de puiser dans ce potentiel et de le développer. — Abdul Kalam

Peu importe comment vous l'appelez…

Vous pouvez l'appeler comme vous voulez. Si vous ne voulez pas l'appeler Puissance supérieure, le Divin ni même Dieu, si ces mots possèdent une connotation trop forte et vous renvoient à un dogme religieux, alors vous pouvez appeler cette force supérieure « nature » ou « loi de la nature ». Nous sommes tous tributaires des lois de la nature, peu importe ce que nous en pensons ou comment nous les concevons. Nous comprenons tous ces lois.

On a parfois dit que la science était le contraire de la foi, qu'elle était sans rapport avec elle. Mais toute science repose en fait sur la foi puisqu'elle présuppose la permanence et l'uniformité des lois naturelles, chose qui ne pourra jamais être démontrée. — Tryon Edwards

Là où je veux en venir, c'est qu'une Puissance supérieure est seulement quelque chose qui se situe au-delà de vous, qui est plus grand que vous et plus grand que tout ce qui unit tous les humains et tout ce qui existe. Quand vous avez foi en cette Puissance supérieure, vous vous connectez à quelque chose qui se situe au-delà de vous et qui vous donne du pouvoir.

Effet placebo ?

Le fait que je raisonne pour vous inciter à avoir foi en une Puissance supérieure pourrait presque vous inciter à prétendre que je vous demande de faire semblant de croire parce que cela vous aidera. Vous penserez peut-être que cela ressemble à un jeu.

Certaines personnes pourraient comparer cela à la prise d'un placebo, qui vous permet de récolter des bienfaits sans réel médicament. L'effet placebo est l'exemple parfait de la foi !

Pour ceux qui n'en connaissent par bien les tenants et les aboutissants, l'effet placebo est un concept émanant de la médecine et de la recherche médicale. Lorsqu'ils inventent un nouveau médicament et qu'ils le testent avant de le mettre sur le marché, les chercheurs lui font subir une série de tests finaux sur des humains. Dans le cadre d'une étude appelée étude de contrôle, ils divisent leurs cobayes en deux ou plusieurs groupes. Quand il y a deux groupes, par exemple, les chercheurs donnent à un de ces groupes le médicament en question et à l'autre, un placebo qui n'est en fait rien d'autre qu'un cachet de sucre. Ainsi, ils s'assurent que tout changement constaté dans leurs résultats est uniquement déclenché par le médicament, pas par un facteur aléatoire, le hasard ou toute autre circonstance.

Toutefois, lorsque de telles études ont été entreprises, les chercheurs ont découvert à leur grande surprise que certaines des personnes traitées avec des placebos présentaient le même genre de réactions physiques que celles qui avaient absorbé le médicament. Incroyable! Le faux médicament fonctionnait par le seul pouvoir de la foi.

Mais cela ne fonctionne pas pour tous les sujets, et ça tombe sous le sens. En effet, au début des tests, certains des sujets doutaient peut-être des résultats ou se méfiaient du processus. Ceci veut dire que la foi n'avait pas du tout voix au chapitre. Au cours des dernières années, d'autres recherches ayant été effectuées sur l'effet placebo lui-même ont donné des résultats très probants. Selon un article publié dans le magazine *Scientific American*, une publication fort respectée, l'effet soi-disant placebo aurait, preuves à l'appui, la capacité de soulager la douleur, la dépression, l'anxiété, la maladie de Parkinson, les troubles inflammatoires et même le cancer. Cet effet positif, que l'on constate chez une personne sur trois absorbant un placebo, provient en fait de la croyance de la personne par rapport à la substance absorbée ou au traitement suivi, ainsi qu'en sa croyance globale au traitement médical en tant que tel. Pour arriver à cette conclusion, l'article cite des études et des rapports produits au fil des années.

Le pouvoir de la foi en ce qui concerne les placebos va même plus loin. En 2002, des chercheurs du Centre médical des anciens combattants de Houston et du Baylor College of

Medicine ont procédé à une étude concernant un type commun de chirurgie chez des patients atteints d'ostéoarthrose. Comme cela a été le cas pour les tests avec les médicaments que j'ai mentionnés un peu plus tôt, les chercheurs ont divisé leurs sujets en trois groupes. Deux groupes ont subi deux sortes différentes de chirurgie arthroscopique, chirurgie qui fait appel à une minuscule incision dans la peau pour permettre d'atteindre les cartilages qui maintiennent l'articulation du genou. Le troisième groupe a subi une fausse opération. On les a préparés pour l'opération et on les a amenés en salle d'opération comme on le fait habituellement. Mais, ensuite, les chirurgiens n'ont fait qu'une incision sans effectuer une quelconque intervention sur les cartilages du genou.

Seuls les médecins ayant effectué la chirurgie et les personnes chargées de l'étude savaient à quoi s'en tenir. Les patients ne savaient rien, pas plus que le personnel impliqué dans les traitements postopératoires ou le suivi médical. Autrement dit, les patients ne pouvaient en aucune façon connaître la façon dont ils avaient individuellement été traités. Le secret a été gardé pendant les deux années durant lesquelles les sujets ont été traités. Ces personnes ont été suivies de façon identique, qu'elles aient été effectivement opérées ou pas. Et les résultats se sont avérés incroyables.

Les chercheurs ont découvert que les opérés des trois groupes s'étaient améliorés de façon égale. Ils ressentaient tous moins de douleur et pouvaient bouger plus librement. Les chercheurs en ont conclu que la chirurgie avait elle-même eu un effet placebo et que, en fait, c'était la croyance dans le traitement à lui seul qui avait produit de tels résultats !

Tel est le pouvoir de la foi.

La foi n'est pas quelque chose à saisir, c'est un état qui se développe. — Mahatma Gandhi

Bien entendu, il est facile de dire « croyez en une Puissance supérieure ». Mais comme tout ce qui en vaut la peine, la foi demande effort et assiduité. La foi n'est pas un état d'être statique, elle est ancrée dans l'action et récompensée par l'action. Agissez avec foi et vous découvrirez que non seulement vos actes seront récompensés, mais que votre foi sera aussi renforcée. Demandez de l'aide à votre Puissance supérieure quand vous en avez besoin et ayez de la gratitude pour ce qui vous revient. Quand vous en avez besoin, appuyez-vous sur votre Puissance supérieure pour trouver de la force.

Si la foi en l'univers vous habite dans tout ce que vous entreprenez, celle-ci grandira de façon exponentielle. La foi que vous avez en vous-même, vos proches, votre collectivité et le monde prend de l'expansion et grandit quand vous passez à l'action. Et à leur tour, les autres ont foi en vous. Lorsque vous agissez en vertu de la foi en une Puissance supérieure, qui sait jusqu'où celle-ci et la positivité peuvent vous amener? Agir dans la foi, est une chose que vous vous devez à vous ainsi qu'au reste du monde.

6

PRATIQUEZ LA FOI

Dans ce chapitre, je vais vous soumettre quelques façons dont vous pouvez amener la foi dans votre vie, sur tous les plans.

Vous remarquerez que ces exercices mettent en pratique les thèmes que j'ai abordés à plusieurs reprises dans cet ouvrage et dans divers contextes.

- La foi ouvre les horizons et vous permet de vous tourner vers les autres et le reste du monde.
- La foi conduit à l'action. Elle n'est pas un état statique, mais une précieuse ressource qui déclenche une énergie active.
- La foi est résiliente. Si vous ne réussissez pas à entrer en contact avec les bonnes personnes ou à accomplir ce que vous désirez, faites le point, peaufinez vos méthodes et reprenez-vous, tout en sachant que ce dont vous avez besoin est à votre disposition si vous faites votre part.

J'ai divisé ces exercices en quatre sections qui correspondent aux chapitres du livre. Ceci ne veut pas dire qu'il existe quatre différentes sortes de foi, car il s'agit d'une seule et même énergie. La foi que vous accordez aux gens est liée à celle que vous accordez à votre collectivité et au reste du monde. La foi en une Puissance supérieure chapeaute toutes les autres. Ces quatre sections vous permettront simplement d'explorer diverses possibilités pour intensifier votre foi, et ce, à tous les niveaux.

Chacune de ces sections vous propose quelques façons différentes d'explorer le concept. Mais vous pouvez toutes les essayer! Elles mettent toutes en œuvre ce saut dans l'inconnu, ce saut selon lequel l'univers fera la moitié du chemin vers vous.

I. La foi en soi

Avoir foi en soi, c'est avoir confiance en ses véritables aptitudes et capacités. Cette foi est fondée sur la connaissance de soi-même.

Éveillez vos talents

Quels sont les talents qui sommeillent en vous? La plupart des gens ont des talents qu'ils n'actualisent pas, l'écriture par exemple, sous prétexte que ce talent est trop aléatoire pour gagner sa vie. Alors, ils se contentent par exemple d'une carrière dans la vente au détail comme directeur de magasin. Vous êtes excellent dans ce que vous faites et vous appréciez de nombreuses facettes de votre travail, mais chemin faisant vous avez laissé tomber l'écriture, la reprenant de temps en temps seulement et réussissant à écrire seulement une page ou deux à la fois.

Vous pourriez choisir une activité, une aptitude ou une démarche à laquelle vous vous êtes déjà consacré, mais sans y accorder suffisamment de temps pour la développer dans votre vie. Par exemple, jouer de la guitare les fins de semaine avec un groupe d'amis. C'est une chose que vous avez faite par plaisir, mais que vous n'avez jamais vraiment approfondie techniquement parlant.

Ce pourrait être une qualité que vous pourriez développer en talent. Peut-être s'agit-il de votre facilité à faire rire vos amis par la façon dont vous racontez des histoires ou à créer des cartes de souhaits, que tous vos amis et proches aiment tellement qu'ils sont impatients de les recevoir à n'importe quelle occasion.

Si rien de particulier ne vous vient à l'esprit immédiatement, vous pourriez le découvrir en ayant confiance que vous possédez des talents qui n'attendent qu'à s'exprimer. Et vous les possédez, soyez-en assuré!

- Commencez par penser à vos aptitudes et talents. Faites une liste des choses dans lesquelles vous excellez. Ne soyez pas timide!
- Incluez vos qualités positives, mais dans un contexte pragmatique.
- Définissez votre aptitude ou activité de façon concrète. Ne vous contentez pas de dire «Je suis une personne agréable», mais plutôt «J'ai de la facilité à avoir une discussion amicale avec des inconnus.»
- Inscrivez vos réalisations ou les événements marquants (p. ex. un parcours de golf, une participation à un marathon, etc.).

Quelle est la prochaine étape?

- Choisissez un de ces éléments et pensez au niveau où vous êtes rendu en ce moment.

Quelle serait la prochaine étape importante ? Que vous faudrait-il faire pour atteindre le niveau suivant? S'il s'agit d'une activité qui n'a été qu'un passe-temps, le niveau suivant pourrait être de gagner de l'argent dans le cadre d'une seconde carrière. Par exemple, disons que vous jouez de la guitare les fins de semaine. Pour passer au niveau suivant, vous pourriez commencer à jouer dans des concerts payants au lieu de jouer simplement avec vos amis. Peut-être vous pourriez prendre des leçons ou vous procurer un meilleur équipement.

- S'il s'agit de quelque chose que vous n'avez jamais considéré comme un talent auparavant, peut-être est-il temps de le faire ! Cernez le talent ou l'aptitude en question et pensez où il peut vous mener. Comment vous y prendre pour en faire profiter le monde ? La première chose à faire serait peut-être de suivre des cours ou d'améliorer votre talent naturel.

- S'il s'agit d'un talent dont personne n'est au courant — peut-être êtes-vous une vedette d'opéra sous la douche? — la première étape est de reconnaître ce talent, puis d'en faire part à vos proches et à vos amis.

Établissez un objectif précis.

- Il est important de passer à l'action. Si vous n'agissez pas, la motivation restera sur votre liste et votre foi n'aura aucune chance de la réaliser.
- Énumérez les moyens concrets que vous pouvez prendre immédiatement : vous inscrire à un cours ou vous renseigner sur les boîtes de karaoké les plus près de chez vous.
- Ensuite, respirez un bon coup et passez à l'action!

Vous pourriez également aborder ce genre d'exercice sous l'angle des choses dans lesquelles vous n'excellez pas. En effet, bien des gens estiment qu'il est plus facile de dresser la liste des choses dans lesquelles ils n'excellent pas! Mais ne considérez pas ces éléments comme déprimants, plutôt comme des possibilités non réalisées.

Ce serait encore mieux si vous pouviez trouver quelque chose qui vous intimide. Vous gagnerez beaucoup en accomplissant une chose qui vous fait peur, comme par exemple prendre la parole en public, qui est une peur très répandue.

Une fois que vous avez trouvé une activité qui vous donne la frousse, donnez-vous l'objectif de l'entreprendre. S'il s'agit de parler en public, par exemple, le club des Toastmasters est un club qui a aidé beaucoup de gens à parler avec confiance devant un auditoire. Ce club accueille de nouveaux membres en tout temps. Peut-être existe-t-il d'autres organismes du genre dans votre région. Et il existe certainement plusieurs associations et organismes qui peuvent s'avérer utiles pour le développement de toutes sortes d'aptitudes variées.

Vous pourriez aussi avoir l'impression d'être médiocre dans certains domaines. Une de mes voisines m'a dit une fois qu'elle avait toujours eu peur des mathématiques. Elle avait commencé à échouer dans ses cours de math vers la fin du secondaire et les avait simplement évités le reste de sa vie. Maintenant dans la cinquantaine, vu qu'elle s'était découvert une fascination pour les étoiles et les constellations, son objectif était de terminer un cours de niveau universitaire en astronomie! Même s'il s'agissait d'un cours pour généralistes et non pour physiciens, ce dernier était tout de même basé sur la physique quantique et sur certaines théories et équations très compliquées. Elle a fini ses cours avec brio et a la grande ambition d'aller plus loin dans ses études.

C'est la foi qui nous pousse à développer un talent que nous découvrons et à en faire profiter le reste du monde. Nos aptitudes et talents sont un cadeau de l'univers. Il n'en tient qu'à nous d'en tirer le meilleur. Il suffit de prendre les moyens pour le faire.

2. La foi en autrui

La foi en autrui est ce qui agrémente nos relations, plus particulièrement nos relations intimes. En vous penchant plus en détail sur ces relations, vous pourrez peut-être découvrir ou commencer à réaliser si votre foi en autrui est bien placée ou pas.

Commencez par les relations.

- ✦ Dressez la liste des gens qui vous entourent et qui font partie de vos relations intimes.
- ✦ Quelles sont les personnes qui ont vos intérêts à cœur? Ces personnes sont-elles encore dans votre vie actuellement? Ou bien certaines d'entre elles ont-elles disparu avec le temps? Pensez à ceux et celles qui ont été là durant toute votre vie.
- ✦ Si les gens les plus proches de vous ne font pas partie de la liste de ceux qui ont vos intérêts à cœur, essayez d'en trouver la raison. Pourquoi figurent-ils dans votre cercle d'intimes? Les gens doivent mériter votre confiance! Il se pourrait que vous remettiez en question certaines relations, ce qui est une bonne chose, car peut-être prenez-vous conscience que vous accordez votre confiance à quelqu'un qui ne la mérite pas.

- ✦ Est-ce que cette confiance est réciproque? Avez-vous l'impression que cette personne ressent la même chose envers vous?

Un saut dans l'inconnu

La communication est essentielle en ce qui concerne toutes nos relations personnelles. Mais même quand il est question de nos plus proches amis et membres de notre famille, il y a toujours quelque chose qui n'a pas été dit.

Peut-être s'agit-il de quelque chose dont vous ne leur avez jamais parlé. Ou bien des limites que vous pressentez au sujet de cette relation. Peut-être avez-vous comme ami un collègue de travail avec qui vous avez passé bien des moments à bavarder, à faire les magasins et à manger, mais avec qui vous n'avez jamais approfondi la relation en dehors des heures de bureau.

Mon éditrice m'a raconté qu'elle et sa sœur ont vécu sur des continents différents pendant des années et qu'elles comptaient sur les cartes postales et les cadeaux des Fêtes pour maintenir le contact. Comme sa sœur adorait tricoter, elle lui envoyait des vêtements magnifiques qu'elle avait confectionnés. Mais mon éditrice avait une allergie à la laine et ne pouvait porter la plupart des articles envoyés par sa sœur. Ce qu'elle ne lui a jamais dit! Pendant trois ans, elle s'est contentée de bien la remercier et de ranger les articles dans une boîte où ils accumulaient la poussière. «Je voulais le lui dire au début», admet-elle, «mais une année est passée, puis une deuxième, et une troisième… Je me sentais totalement stupide d'avoir laissé traîner la situation et je pensais qu'elle serait vraiment contrariée d'avoir pris le temps et de s'être donné la peine de confectionner quelque chose que je n'utilisais pas.» En fin de compte, elle s'est décidée à régler la question. «Je lui ai tout dit avant le quatrième Noël», me dit-elle, «et nous avons fini par rire ensemble de l'absurdité de la situation. Cela nous a fait un bien immense.»

Il s'agit ici de la seconde étape, de l'étape où on établit la communication et où on saute dans le vide. Si vous évitez certains sujets de conversation, c'est que vous savez en général que la personne réagira de façon négative.

Pourquoi ne pas laisser à la personne la liberté de réagir comme elle l'entend? Essayez et vous verrez bien.

- ✦ Il n'est pas nécessaire qu'il s'agisse de quelque chose d'énorme, de négatif ou de traumatisant. Seulement d'une chose que vous évitez d'aborder pour une raison ou une autre.
- ✦ La réaction que vous avez obtenue est-elle positive ou négative? Si elle est négative, pourquoi l'est-elle? Pensez aux raisons pour lesquelles elle est négative. Peut-être pouvez-vous changer votre façon d'aborder les choses?
- ✦ Essayez de nouveau en ayant amour et honnêteté dans le cœur.

Ce genre d'exercice peut aller dans les deux sens, car il peut parler de vous! Vous montrez-vous digne de confiance pour que la confiance de l'autre vous soit acquise? Cette personne peut-elle se fier à vous? Rappelez-vous que la foi, c'est donnant-donnant.

Vous pouvez également mettre cet exercice en pratique avec une personne que vous avez perdue de vue. Lorsque vous avez dressé la liste des gens qui avaient vos intérêts à cœur, y avait-il des personnes dont vous n'entendez plus parler? De nos jours, avec Internet et tous les moyens technologiques qui existent, il n'y a guère d'excuses pour ne pas reprendre contact, même après des années.

En vous entourant de gens avec qui vous établissez et entretenez des relations de qualité, vous vous construisez une bonne assise d'échanges et un bon réseau de soutien.

Il faut avoir la foi pour être honnête. C'est la seule chose qui renforcera les liens avec les gens les plus proches de vous. Il faut avoir la foi qu'ils accepteront la vérité de votre part et, qu'en retour, ils vous diront aussi la vérité.

3. La foi en votre collectivité, en votre monde

La plupart d'entre nous évoluons dans une zone de confort en ce concerne les endroits que nous fréquentons, les activités que nous entreprenons et les gens avec qui nous nous tenons. Cette zone de confort comporte des paramètres familiers et réconfortants que nous nous imposons et dont nous dérogeons rarement. Parmi ces paramètres figurent :

- Les cercles sociaux
- Les contacts professionnels
- Le cercle familial
- Les cercles fondés sur la nationalité ou la culture

Tout ce qui vous met mal à l'aise et que vous évitez en général est le contraire de la zone de confort. Dressez une liste des aspects de votre collectivité et de votre monde où vous ne vous sentez pas automatiquement à l'aise.

Je ne parle pas ici d'aller se promener la nuit dans de sombres ruelles ! Ni d'aller faire un tour dans les zones de la ville où la criminalité est la plus élevée. Soyez judicieux et assurez votre sécurité.

Par exemple, j'ai une amie diplômée en sciences dont les cercles professionnel, familial et social sont presque entièrement constitués de scientifiques universitaires. Lors de ses vacances en dehors de la ville, elle avait visité quelques musées d'art, mais ne connaissait rien de ce monde et s'y sentait un peu perdue, comme un poisson qu'on a sorti de l'eau.

Nous avons tous des domaines qui nous sont totalement étrangers. Quels sont ceux où vous vous sentez comme un poisson hors de l'eau?

Ensuite, comment allez-vous vous y prendre pour vous investir?

Comment explorer ces domaines inconnus? Ils pourraient peut-être même exister dans votre voisinage. Restez au niveau local si c'est possible et soyez pratique pour commencer. Vous pouvez vous investir dans des groupes communautaires, par exemple. Il en existe dans toutes sortes de domaines et ils s'adressent à un grand éventail de citoyens. L'annuaire et la bibliothèque vous aideront à les trouver. L'amie que j'ai mentionnée plus haut a décidé d'explorer le monde de l'art en commençant par visiter des musées locaux et a fini par devenir membre d'un musée. Maintenant, elle travaille comme guide les fins de semaine et fait profiter les autres des merveilleuses nouvelles connaissances qu'elle a acquises.

Impliquez-vous directement.

Bien entendu, Internet est une façon naturelle de trouver des gens, des intérêts, des segments de la population et bien d'autres choses, partout dans le monde.

- Lancez une conversation sur un babillard.
- Inscrivez-vous sur un site Web.
- Engagez la conversation avec des gens.

Pourquoi aussi ne pas entreprendre une activité qui vous intéresse et que vous pourrez partager avec d'autres ? Aimez-vous faire de l'escalade ? Alors, vous pourriez essayer de trouver un club d'escalade ou un groupe d'escalade en ligne sur le web. Ou bien entrez en contact avec quelqu'un de l'autre côté de la planète. Commencez par parler de votre intérêt commun et voyez ce que vous pouvez apprendre l'un de l'autre et l'un sur l'autre.

Les animaux domestiques et les enfants sont une formidable façon d'entrer en contact avec les gens, peu importe où ils se trouvent.

Le fait d'explorer les domaines de votre communauté et de votre monde qui vous sont peu connus ne peut être qu'enrichissant. Lorsque vous vous sentirez à l'aise (que la confiance sera établie) dans votre milieu immédiat, vous pourrez explorer les domaines inconnus du grand monde, qui peuvent être aussi accueillants que ceux qui vous sont familiers. Vous élargirez ainsi votre base de connaissances et de contacts, et vous approfondirez votre vie de façon surprenante.

4. La foi en une Puissance supérieure

C'est à ce niveau que la foi devient une notion universelle. C'est à ce niveau qu'elle revient au point de départ et se retrouve dans tous les aspects de votre vie.

Quand vous avez foi en une Puissance supérieure, vous savez que de l'aide sera à votre disposition lorsque vous en aurez besoin. La plus simple façon de contacter cette énergie, c'est de vous poser les questions suivantes :

- ✦ Qu'est-ce que je trouve difficile à faire?
- ✦ Quel genre de situation m'embarrasse?

- ✦ Qu'est-ce qui m'empêche de dormir la nuit?
- ✦ Qu'est-ce que je veux le plus changer?

Demandez que se manifeste ce qu'il y a de mieux pour vous. Pour cela, demandez à être guidé afin de comprendre ce que vous pouvez faire pour aller dans ce sens.

Existe-t-il une situation que vous redoutez, une situation dont vous ne pouvez contrôler tous les aspects et dont le dénouement est hors de votre contrôle? Peut-être vous disputez-vous avec vos enfants chaque soir pour qu'ils fassent leurs devoirs ou pour qu'ils rentrent à l'heure, et que la situation est rendue telle que vous avez l'estomac noué à force de regarder les minutes passer après l'heure convenue de retour à la maison. En tant que mère ou père, vous savez que vous devez prendre position, mais vous savez aussi que cela finira par une confrontation. Que pouvez-vous faire? Tout d'abord, prenez une grande inspiration pour retrouver votre calme et demandez simplement à votre Puissance supérieure que les choses finissent pour le mieux. Demandez de l'aide afin de trouver la bonne façon d'aborder vos enfants et de les aider à comprendre la raison pour laquelle vous insistez sur les choses qu'ils remettent tant en question. Demandez de l'aide pour trouver les meilleures façons de communiquer.

- Prenez note des domaines dans lesquels vous avez demandé de l'aide et des améliorations. Croyez-moi, vous serez étonné.
- Notez également toute inspiration ou idée vous venant, y compris les fois où vous avez essayé, mais sans obtenir les résultats escomptés. Il faut parfois savoir ce qui ne fonctionne pas pour pouvoir trouver ce qui fonctionne.
- Rappelez-vous que vous devez également faire votre part. Agissez-vous en toute bonne foi ? Vous récolterez ce que vous aurez semé.

Mais surtout, sachez que la foi en une Puissance supérieure est ce qui vous donnera un élan. Cette foi vous conférera la résilience vous permettant de persévérer, même si vos premières tentatives échouent. C'est vers la foi que vous pouvez vous tourner lorsque vous avez essayé de reprendre contact avec votre sœur et qu'elle ne semble pas vouloir accéder à votre demande. Demandez que ce qu'il y a de mieux pour vous se produise, persévérez, formulez votre demande de façon différente jusqu'à ce que vous puissiez surmonter l'obstacle.

- Si les gens que vous contactez ne réagissent pas immédiatement, ayez confiance que vous trouverez le moyen, ou si la situation s'y prête, que vous trouverez à un moment donné des gens qui s'attendent à recevoir ce que vous avez à offrir.

- Si vous n'avez pas obtenu les résultats escomptés, ayez confiance que cela va arriver. Si vous persistez, quelque chose de bien vous attend, même si ce n'est pas totalement ce à quoi vous vous attendiez.

Vous ne savez jamais où votre foi peut vous mener. C'est la beauté de cette aventure. Il se pourrait bien que vous découvriez que ces exercices ne fonctionnent pas du tout de la façon prévue, mais que les bienfaits et avantages récoltés dépassent de loin tout ce vous auriez pu imaginer. Vous pourriez rencontrer des gens qui vous aideront à gagner de l'argent ou qui deviendront des amis à vie. Vous pourriez trouver des contacts professionnels ou encore un endroit où habiter la prochaine fois que vous irez à Paris. Tout le long, vous saurez que le résultat sera ce qu'il y a de mieux pour vous.

C'est ce que vivre dans la foi veut dire.

Biographie

Joe Vitale a écrit de trop nombreux ouvrages pour les citer tous ici. Mentionnons entre autres *Le facteur d'attraction*, *Le manuel inédit de la vie*, *La clé*, *Zéro limite*, *Le cours en éveil*, ainsi que deux nouveaux ouvrages parus au début de 2013.

Joe Vitale a également produit de nombreux programmes audio pour Nightingale-Conant dont The Awakening Course, The Missing Secret, The Secret to Attracting Money, The Abundance Paradigm et le tout dernier, The Ultimate Law Of Attraction Library.

Joe est également apparu dans plusieurs films, y compris le film à succès *Le Secret*. Il a participé à des émissions télévisées : *Larry King Live*, *The Big Idea* de Donny Deutsch, CNN, CNBC, CBS, ABC, *Fox News : Fox & Friends* et *Extra*. Il a également fait l'objet d'articles dans le *New York Times* et *Newsweek*.

Parmi tous ses accomplissements figure celui d'être le premier chanteur-compositeur autodidacte du monde, ainsi qu'un article du magazine *Rolling Stone* le raconte. Rien qu'en 2012, il a produit quatre disques compacts de musique!

Il a mis sur pied le programme Miracles Coaching™ pour aider les gens à atteindre leur but en comprenant les aspects profonds de la Loi de l'Attraction et de la Loi de l'Action juste. Cet homme a autrefois été un sans-abri, actuellement devenu un auteur à succès qui croit à la magie et aux miracles.

Pour plus de détails sur Joe Vitale, veuillez consulter le www.mrfire.com